Le

i

Marie-Dominique Porée-Rongier

FIRST
Editions

Pour leur aide précieuse, mes remerciements
les plus chaleureux à
Marianne Chautard et Marie-Dominique Rouvière,
Alice, Angéla, Audrey, Charlie, Jeanne…
et, surtout, Marco

© Éditions First-Gründ, 2009

ISBN : 978-2-7540-1435-9
Dépôt légal : 4e trimestre 2009

Édition : Marie-Anne Jost
Correction : Anne-Lise Martin
Conception graphique : Georges Brevière
Illustration : Catherine Meurisse
Couverture : Olivier Frenot

Imprimé en Italie

Éditions First-Gründ
60, rue Mazarine, 75006 Paris
Tél. : 01 45 49 60 00
Fax : 01 45 49 60 01
e-mail : firstinfo@efirst.com
www.editionsfirst.fr

Sommaire

Avant-propos

À L'ISSUE de la finale de Roland-Garros de juin 1993 entre l'Américain Jim Courier et l'Espagnol Sergi Bruguera, ce dernier, vainqueur du tournoi, avait bredouillé quelques paroles dans un français plus qu'approximatif, alors que son rival malheureux, dans un excellent français, s'était excusé de parler notre langue *comme une vache espagnole*, en regardant de façon appuyée son Ibère d'adversaire. Un Anglais, dans la même situation, parlerait d'« assassiner la langue française » (*to murder the French language*)… Dans le nord de la France, récemment mis à l'honneur grâce au film *Bienvenue chez les Ch'tis*, on entend dire que ne pas bien parler le français revient à *donner des coups de pied à la France !* En Grèce, si quelqu'un ne maîtrise pas correctement la langue d'Homère… et de Nana Mouscouri, on lui reproche de parler « comme les burnous du Soudan » (*Ala mpournezika*), etc.

Convoquée à l'école de la République, une Catalane vivant en France s'entend dire par la maîtresse de sa fille que celle-ci aurait *un cheveu sur la langue*. Intriguée, la mère fait tirer sur-le-champ la langue à son enfant afin d'en ôter l'intrus, cause de tous ses malheurs scolaires. On tremble en songeant à sa réaction, si on lui avait dit cette fois que sa fille avait *un chat dans la gorge,* ou qu'elle avait une tendance à *se jeter dans la gueule du loup !*

Dernier exemple, emprunté celui-ci à la bande dessinée : le succès d'*Astérix chez les Bretons* – mais *Astérix en Hispanie* ou *chez les Helvètes* ne font pas exception à la règle – s'explique par l'adresse avec laquelle le scénariste, René Goscinny, avait reproduit les tics de langage des autochtones, et principalement leurs expressions favorites, avant d'en proposer une traduction littérale, aussi savoureuse qu'absurde en français : « Je dis, gardez votre lettre supérieure rigide » (*I say, keep a stiff upper lip*), pour signifier : « Gardez votre sang-froid, que diable ».

Chaque pays, on le voit, dispose de ses expressions propres, lesquelles voyagent mal et ne sauraient se traduire mécaniquement, sous peine de provoquer des quiproquos sans fin. Les Espagnols dorment « la jambe relâchée » (*a pierna suelta*), alors que les Français, à moins d'être insomniaques, ont une nette préférence pour la position *à poings fermés. Dormir comme un loir* se retrouve dans bien des langues : *to sleep like a dormouse, dormir como un lirón, schlafen wie ein Murmeltier* (plus proche de la marmotte, toutefois). Mais attention, l'allemand dit aussi *wie ein Bär,* « comme un ours ». *Out of the blue* (tombé du ciel bleu), en anglais, se rendra en français par « sans crier gare », « comme un cheveu sur la soupe », selon le contexte. Comprenne qui pourra !

Tel est justement l'objet de ce petit ouvrage. Tenter de comprendre ce qui fait la spécificité, et l'attrait, de ces expressions imagées, à la lumière, en particulier, d'expressions comparables, mais non forcément identiques, en usage chez nos voisins, proches ou lointains. Ces expressions, on les appelle « idiomatiques », ou bien on les nomme « idiotismes ». Mais tout de suite, on s'inquiète, leur emploi ferait-il de nous des idiots ? Il n'en est rien. À condition de s'entendre sur les mots. À l'origine du terme se trouve la racine grecque *idios*, qui signifie « propre à quelqu'un ou quelque chose ». Permettant de distinguer un être du commun des mortels, il désigne le « particulier », le « personnel », le « privé » – par opposition à tout ce qui a trait au public, à l'officiel, au *dêmosios* antique. Est *idiot*, pour simplifier, ce qui est *singulier*. À cet égard, chacun d'entre nous est unique, *idiôtês*. À l'avenir, donc, si on vous traite d'*idiot du village*, ou de *crétin des Alpes*, prenez-le comme un compliment !

Ainsi, le mot *idiome* désigne le parler spécifique d'une communauté donnée, à un moment donné, correspondant à un mode de pensée spécifique, étudié dans ce qu'il a de particulier par rapport au dialecte ou à la langue auxquels il se rattache. En ce sens, l'idiome est constitué, pour une large part, d'*expressions idiomatiques,* partie prenante de la mémoire collective de chaque peuple. Jean-Jacques Rousseau semblait déjà vouloir l'indiquer en son temps : « Les têtes se forment sur les langages et les pensées prennent la forme des idiomes. La raison seule est commune, l'esprit en chaque langue a sa forme particulière ; différence qui pourrait bien être en partie la cause ou l'effet des caractères nationaux » (*Émile*).

À chaque pays, ses tournures, sa manière, irremplaçable et inimitable, d'agencer les mots, les images et la syntaxe. Les *gallicismes* sont à la France ce que les *germanismes* sont aux Allemands, les *hellénismes* aux Grecs, les *anglicismes* aux Anglais, voire les *belgicismes,* aux Belges, etc. On aurait même envie d'ajouter : à chaque région, sa façon de parler singulière. À ce titre, il y aurait plusieurs français dans le français : le français du Midi, le français de Belgique, le français-banane (langue créole), le français du Nord, etc. Demandez à une boulangère parisienne de vous servir une *chocolatine,* et elle vous regardera (peut-être) de travers. La *wassingue* chère aux nordistes a beau désigner la même chose que la *serpil-*

lière, elle ne bénéficie pas, à tort, du même rayonnement. Avouons que la *flache* rimbaldienne, donc ardennaise, a autrement plus d'allure que la *flaque* commune…

Ainsi donc, une *expression idiomatique* est une locution dont le sens ne peut se lire ou se déduire de la seule et simple addition des mots qui la constituent. Elle est tellement propre à une langue, à un parler, qu'il sera dès lors difficile, sinon impossible, de la traduire telle quelle, à l'identique. Tant mieux d'ailleurs. Certes, l'Italien voit la vie en rose (*vedere tutto rosa*), tout comme il broie du noir (*vedere tutto nero*), ou éprouve à l'occasion une peur bleue (*avere una fifa blu*). Mais il rit d'une autre couleur, verte (*ridere verde*), que le *rire jaune* français. La formulation anglaise, *to laugh on the wrong side of one's face* (rire du mauvais côté de la figure), évoque, elle, l'embarras dans lequel on se trouve dans la même situation – mais on s'interdira d'en tirer la moindre conclusion relative à la psychologie de nos amis d'outre-Manche. Parfois, il semble même y avoir contradiction : « voir rouge » (*to see red*) en anglais se dit en italien *essere nero di rabbia,* soit « être noir de rage ». Colère noire ou rouge, il faut choisir ! On savait que le rouge de la colère pouvait monter au nez, mais pas au point de donner ce sale regard de l'Anglais : *a dirty look…*

S'il est vrai que, souvent, les langues de même origine, comme par solidarité, se serrent les coudes et empruntent les mêmes images sur le mode du *œil pour œil, dent pour dent,* que l'anglais reprend au mot près (*an eye for an eye and a tooth for a tooth*), à l'image encore d'*un prêté pour un rendu* qui sonne presque aussi fortement qu'un *tit for tat,* on s'intéressera prioritairement aux locutions qui mettent en avant les **différences.** « Vive la différence ! » comme on l'entend dire aux Anglais un peu snobs… Entre *perdre les pédales* en français et *les étriers* en espagnol (*perder los estribos*), ce n'est qu'une question de mode de locomotion, la voiture ou le vélo pour le premier, le cheval pour le second. En revanche, l'écart est grand entre *se laisser marcher sur les pieds* du français et le (s') *asseoir sur la tête de quelqu'un* du néerlandais. L'expression *jacasser comme une pie* trouvera bien des déclinaisons : la perruche en espagnol (*como una cotorra*), le canard ou l'oie, dans la langue de Goethe (*wie eine Ente*). À cette belle cacophonie, on ajoutera l'anglais, auquel il arrive de bavarder à « en faire perdre les pattes arrière à un âne » (*to talk the hind legs off a donkey*). Renversant, non ?

Si seulement, pour passer d'une langue à l'autre, il suffisait de changer de couleur, de nom d'animal, de références culturelles, pour que le tour soit joué ! Certaines expressions ressemblent à nos images quand d'autres en prennent le contre-pied ou n'ont plus rien à voir avec nos propres références. En cela, elles témoignent la plupart du temps d'une identité particulière, d'une culture et d'une histoire propres. Et souvent, pour en comprendre l'origine, il faudrait embrasser toute la culture du pays qui leur a donné le jour. On s'apercevrait alors que chaque particularisme langagier, local, régional, national, apporte du piment à la conversation, laquelle cesse d'être « plate comme un trottoir de rue », comme pouvait l'être celle du médecin dans *Madame Bovary.* On s'apercevrait, aussi, et cela cesse d'être pittoresque, pour devenir franchement déplaisant à l'occasion, que chaque culture nationale monte en épingle ses boucs émissaires, se sert de certains peuples comme de repoussoirs et aime à se gargariser de ses préjugés imbéciles.

Ne dit-on pas *fort comme un Turc ? Une douche,* pour parler d'une pluie battante, ne peut être qu'*écossaise,* quand elle alterne le chaud et le froid ! Quant à l'*auberge* où on trouve ce qu'on a soi-même apporté, elle est forcément *espagnole* ! L'expression *aller se faire voir chez les Grecs* ne sert guère l'amitié franco-hellène. À tour de rôle, tout le monde y passe, et chacun se trouve habillé pour l'hiver. *C'est du chinois* ou *de l'hébreu* s'emploie si l'on veut dire que quelque chose est difficile à comprendre. En leur temps, les scribes du Moyen Âge s'exclamaient : *Græcum est : non legitur*, « C'est du grec : ça ne se lit pas » ! Un Anglais d'aujourd'hui se choisit d'autres cibles : *This is double Dutch to me,* « C'est doublement du néerlandais pour moi ». *Saoul comme un Polonais* est à peine moins charitable que *to be drunk as a lord* (être ivre mort comme un lord), *boire en Suisse*, à peine moins blessant qu'*une querelle d'Allemand*. Et que dire, et, surtout, que faire, de l'expression *en chier comme un Russe* ?

D'un pays à l'autre, on le voit, les expressions idiomatiques se répondent du tac au tac (*tit for tat,* voir plus haut), souvent à la marge de la grammaire et de toute autre forme de « correction ». Ces échanges quasi stichomythiques – comme au théâtre ou au ping-pong – font remonter à la surface des « traits culturels » saillants, visibles et audibles, reflets de façons de penser et d'envisager le monde forcément dissemblables.

Il en découle qu'une expression idiomatique est a priori intraduisible, du moins mot à mot. Jean-Louis Chiflet en a fait la démonstration par l'absurde, avec la série d'ouvrages inspirés de son désormais célèbre *Sky, my Husband !* Deux de ses énoncés impossibles suffiront

à notre bonheur : « sur les chapeaux de roues », rendu par
* on the hats of wheels, alors que very fast suffit, « courir
sur le haricot », traduit par * to run on the bean, en lieu
et place de to get on someone's nerves (taper sur les nerfs
de quelqu'un).

Ce Petit livre des expressions idiomatiques s'y prend
d'une autre façon. Il se penche d'abord sur les gallicismes
de France (pléonasme !). Il recense ensuite des expressions
tout ce qu'il y a de plus authentique, empruntées à l'allemand, à l'anglais, au néerlandais, à l'espagnol, à l'italien,
au portugais, et plus épisodiquement, à l'arabe, pour les
comparer aux expressions françaises correspondantes. En
traversant la frontière, en passant de l'autre côté du miroir,
les unes et les autres se trouvent comme « dépaysées ». Mais
l'objectif reste de les comparer, plus que de les confronter,
à la recherche de ce qui les différencie, en surface, et les
rapproche, sur le fond des choses. C'est qu'à force de se
vouloir particulières, les expressions idiomatiques finissent
par toucher à l'universel !

De quoi mourir moins idiot(s), n'est-il pas ?

Marie-Dominique Porée-Rongier

Partie I

Nos « idiotismes » à nous !

COCORICO ! Le coq gaulois, de la famille des gallinacés, est l'emblème du patriotisme français, et l'on comprend pourquoi, de la même façon, les gallicismes (du latin *gallicus*), à savoir les constructions ou formes propres à la langue française, sont un objet de fierté nationale. À tort ou à raison, on se plaît à chanter sur tous les toits la beauté du français, sa clarté, son élégance, sa prétendue universalité. « Sans l'aventure de Babel, toute la Terre aurait parlé français », écrivait Voltaire dans *L'Ingénu*. On n'entrera pas ici dans ce qui ressemble à une mauvaise querelle : ne sont-ce pas les écrivains qui manient la langue française qui sont clairs, plutôt que le contraire ?

L'étymologie a beau récuser la parenté latine du gaulois et du gallinacé, la tentation n'en est pas moins grande de les rapprocher. C'est oublier qu'en franchissant les frontières notre fameux cocorico se traduit bel et bien, au grand dam de ceux qui le pensaient unique ou inimitable ! En allemand, cela donne *kikeriki*, repris en écho par le *gügerügue* zurichois, *kykliky kykleliky* en danois ou *qui qui ri qui* en espagnol. Tout aussi consonantique et répétitif sera le japonais *kokekokko*. Mais bien plus mélodieux et dandinant est l'anglais : *cock-a-doodle-doo*. Le *wo wo wo* en chinois et son pendant, *o o o* en vietnamien, réduit ici à sa plus simple expression, à peine syllabique, participent de ce concert. Ces nom-

breuses créations lexicales, communément appelées
« onomatopées », procèdent des contraintes phonologiques inhérentes à chaque langue et, s'il est vrai que le
coq émet partout dans le monde le même son, chaque
langue retranscrit son cri comme elle le peut, ou le veut.

C'est surtout oublier que chaque langue a ses idiotismes : on parlera d'*hellénisme* pour le grec, d'*anglicisme*
pour l'anglais, de *germanisme* pour l'allemand, d'*italianisme* pour l'italien, *et cætera*... (latinisme oblige). Et
ceux-là ne sont pas moins intéressants que nos gallicismes. Chaque langue, chaque culture – on ne cherchera
pas trop ici à savoir ce qui vient en premier, de la poule
ou de l'œuf – est sous-tendue par une vision du monde
qui lui est propre, et celle-ci s'exprime à la faveur de
constructions langagières qui n'appartiennent qu'à elle,
et qu'à elle seule. Ainsi l'anglais antépose-t-il l'adjectif :
the green apple – en ce sens, il est empirique, au plus
près du réel et de ce que ses sens lui renvoient : la couleur verte est première, vient ensuite la nature du fruit.
Le français raisonne, c'est le cas de le dire, de manière
diamétralement opposée : dire *la pomme verte* nécessite
un certain effort de conceptualisation, ainsi qu'une évidente priorité accordée à l'essence, à la substance, plutôt qu'à l'accident. Deuxième exemple :

They came in with their hats on their heads : vision totalisante de l'anglais, qui photographie mentalement la scène et voit des têtes, des chapeaux, et additionne l'ensemble.

Ils sont entrés, le chapeau sur la tête : vision analytique du français, qui divise, abstrait et déduit d'un ensemble pluriel la nécessité de restituer à chaque individu un unique chapeau (qui n'est pas la même chose qu'un chapeau unique en son genre).

Puisque nous sommes dans la langue française, restons-y : place aux gallicismes, auxquels on a pu faire porter le chapeau (!) d'un certain chauvinisme…

Les gallicismes

Paul Claudel dit des gallicismes, nos idiotismes à nous, qu'ils sont « l'élixir le plus savoureux de notre terroir », notre richesse nationale en quelque sorte. Ces *gallicismes*, il en existe plusieurs sortes.

Il y a tout d'abord *les gallicismes de mots ou de vocabulaire.* C'est le cas chaque fois que l'on prend un mot dans une acception spéciale, en tout cas éloignée de son sens premier. Prenez par exemple les expressions suivantes, choisies parmi mille autres : *monter sur ses grands chevaux ; être sur les dents ; se mettre en quatre ou en six ; faire du lèche-vitrines ; casser les pieds à quelqu'un ; avoir quelqu'un dans le nez ; manger sur le pouce ; faire faux bond à quelqu'un ; poser un lapin ; prendre la mouche ;* etc. Alain Le Saux a récemment pointé avec humour certaines de ces expressions idiomatiques, au sens où elles restent intraduisibles, voire dangereuses :

* *donner un coup de téléphone à quelqu'un* (cela pourrait faire mal, sur la tête)
* *perdre la tête* (vous vous imaginez un homme sans tête ?)
* *une voiture qui marche bien* (avec des jambes humaines ?)

* *sortir d'une maladie* (comme on dirait d'un tunnel ou d'une boîte de nuit ?)

C'est d'ailleurs le titre retenu pour son recueil d'expressions, pour le moins cocasses. Heureusement que personne ne songe à les prendre *au pied de la lettre* !

Viennent ensuite **les gallicismes de construction,** les plus typiques de cette rubrique : *On ne me la fait pas !*
Chacun comprend ce qui se dit là : je ne suis pas du genre à me laisser duper. Mot à mot, cependant, le sens échappe. Qui est cet *on* ? ce *la* ? ce *me* ? Qui fait quoi ? C'est donc cela un gallicisme syntaxique. Une expression presque incompréhensible si on cherche à l'analyser dans le détail, alors que le sens général est passé dans l'usage.

C'est... qui / c'est... que

La tournure présentative *c'est… qui / c'est … que* est sans aucun doute le gallicisme le plus répandu : « C'est mon trésor que l'on m'a pris. » La valeur essentielle de cette construction est de mettre en relief un mot de la phrase, ici la cassette d'Harpagon, en attirant l'attention sur lui/elle. De fait, il se trouve détaché en tête d'énoncé, quelle que soit sa fonction dans la phrase, et ainsi il échappe à la construction ordinaire.

Par ce procédé, on peut mettre en lumière n'importe quel mot d'une phrase :

* un sujet : c'est mon père qui a perdu ici son portefeuille.
* un COD : c'est son portefeuille que mon père a perdu ici.
* un complément de temps : c'est la semaine dernière que mon père a perdu ici son portefeuille.
* un complément de lieu : c'est ici que mon père a perdu la semaine dernière son portefeuille.

Nos grands auteurs ne se sont pas privés de mettre la tournure à l'honneur :

C'est là que régnait le vieux Alceste. (Fénelon)

C'est l'essaim des djinns qui passe. (Victor Hugo)

Ce sont devant ces cendres sacrées que les âmes pieuses viendront se recueillir. (Claudel)

Ce ne sont pas sur les gens modestes […] que fait quelque effet le grand seigneur. (Proust)

Notons que le verbe s'y accorde traditionnellement, du moins dans la langue écrite la plus soignée, avec le nom ou pronom pluriel qui le suit, à condition que ce mot joue le rôle du sujet (voire celui d'attribut) – les grammairiens en discutent encore –, mais jamais en tout cas avec un complément.

Ce (outil présentatif)

La vraie noblesse, c'est la vertu.

Devant le verbe être, *ce* (qui se présente aussi sous la forme élidée *c'* devant une voyelle) constitue le plus souvent à lui seul une tournure présentative : il ne présente aucune valeur particulière, si ce n'est de détacher en tête de phrase n'importe quel élément de la proposition. Ainsi, dans l'exemple ci-dessus, il relie deux noms dont l'un est attribut, l'autre antécédent. Il sert encore à reprendre une proposition ou un verbe qui le précèdent, qu'il veut isoler :

Partir, c'est mourir un peu. (Haraucourt)

Dans l'expression *crier n'est pas chanter,* on note que l'emploi de ce *(c')* est superflu. C'est en effet le cas si d'aventure le deuxième verbe est accompagné d'une négation ou encore si l'attribut n'est pas un verbe *(promettre et tenir sont deux ; entreprendre est chose facile).*
Ici, il met en valeur l'attribut qui le suit :

Du palais d'un jeune lapin
Dame Belette un beau matin
S'empara : c'est une rusée. (La Fontaine)

Là, il introduit parfois un complément circonstanciel :

C'était à Mégara, faubourg de Carthage [...]. (Flaubert)

Dans des tournures interrogatives et/ou explicatives, le même pronom démonstratif *ce* figure en sus, comme une pièce rapportée :

C'est cela (expression culte du film des Bronzés, *Le Père Noël est une ordure*)

Est-*ce* que ?

Qui est-*ce* qui ? Qu'est-*ce* que c'est ?

N'est-*ce* pas ?

Que serait-*ce* si ?

C'est-à-dire…

C'est à qui fera le plus de bruit

En, y, le, la (pronoms personnels)

J'en ai assez !

Le caractère idiomatique de la tournure vient de ce que le référent y est systématiquement absent. *En* en tient lieu :

Je m'*en* fiche / Je m'*en* moque

Qu'est-ce que j'*en* sais ?

Il *en* est ainsi

Il *en* va de même

C'*en* est trop

N'*en* plus pouvoir

En prendre son parti

Il m'*en* coûte de rester
En voilà assez !
On pourrait ainsi longtemps s'*en* donner à cœur joie…

En remplace bien plus souvent un nom de chose qu'un nom de personne. Même si on entend également dire : *j'en suis content* (pour parler d'un employé ou d'un collaborateur, le cas échéant). Mais dans bon nombre d'autres exemples, le *en* est superfétatoire : il vient en trop et n'apporte rien de plus à l'expression. L'expression *j'en ai assez de cela* semble dire deux fois la même chose, non ?

   Le sort en est (donc) jeté… Alea jacta est !

Si le cœur vous en dit… d'en prendre ou d'en laisser ! Il faudra en effet faire la part des choses entre les deux types d'expressions qui suivent. *En vouloir à quelqu'un*, c'est « s'en prendre à quelqu'un », « lui vouloir quelque chose de mauvais ». Par contre, dire de quelqu'un : *Il en veut*, c'est le présenter comme particulièrement motivé, dans l'absolu, plutôt qu'en particulier.

Y n'est pas en reste, dans des emplois analogues et courants de nos conversations : « Faire cela : mais vous n'y pensez pas ! » *Vous n'y êtes pas !* Mais où ça ? Le pronom *y* ne marque aucun lieu précis. Il fait corps avec l'ex-

pression verbale. La formulation : *je n'y tiens plus* s'emploiera pour dire « je suis impatient » ; *il y va de son
honneur* ne donne aucune piste fiable de recherche…

Dans certains de ces gallicismes, il est difficile de détermi-
ner si *en* et *y* fonctionnent avec un statut de pronom (masculin, féminin ou neutre) ou d'adverbe. Par exemple, une
expression comme *il n'y voit rien* s'entend dans deux sens :
  * il ne voit rien là ;
  * il ne comprend rien à cela.

C'est que souvent les gallicismes sont devenus des « formules sésames », figées, employées de façon tellement cou-
rante dans la langue la plus familière qu'on se sent
dispensé de les expliquer. D'ailleurs on ne le pourrait pas.
Ces expressions vivent leur vie propre. Leur emploi
n'est jamais douteux, pour les autochtones en tout cas,
lesquels en sont imprégnés, plus ou moins conscient-
ment d'ailleurs.

Le et *la* se retrouvent dans un certain nombre de locutions
où on ne saurait plus dire à quoi ou à qui ils renvoient.
Ainsi l'expression *l'avoir échappé belle* – autre façon de
dire : « c'était moins une », ou bien encore *it was a close
shave*, « un rasage de près » à la manière anglaise, pour anti-

ciper sur les jeux d'équivalences à suivre. On peut citer encore :

Je vous *le* donne en mille

Se *le* tenir pour dit

Le disputer à quelqu'un

Soit l'interlocuteur lit dans vos pensées, soit il reste sur sa faim. Car pareille formulation reste une énigme. Vous donnez quoi ? À qui ? Il tient quoi pour lui ? Vous disputez quoi ?

On retrouve le pronom personnel féminin *la*, dans cette expression tout aussi idiomatique : *la trouver mauvaise* ; en aucune façon, on ne parle d'une personne en particulier. Le pronom au mieux serait d'un genre neutre, *neuter* : ni masculin ni féminin.

En revanche, dans d'autres formules comme *être coiffé à la Titus, fait à la diable,* l'article féminin *la* est l'équivalent, par ellipse, de l'expression « à la manière de ».

En guise de résumé, ces quatre autres exemples usuels :

N'*en* pouvoir plus

Je t'*y* prends

Le céder à

La bailler belle

Adjectif possessif

La langue française aime aussi à utiliser l'*adjectif possessif* de manière redondante. Pour preuve, les exemples que voici :

> *Voilà une proposition qui sent son gentilhomme.*
> (A. Dumas)
> *Cela sent son vieillard.* (Molière)

L'effet produit par cette tournure idiomatique est d'impliquer affectivement le sujet dans le processus de la phrase. On connaît tous d'autres expressions usuelles comme : *faire sa cour à quelqu'un ; le théâtre nourrit rarement son homme ; il a pris son dimanche.*

De (préposition)

Il arrive que la préposition *de,* sans doute la plus employée du français avec *ou* après *à,* se retrouve dans certains tours de phrase où elle perd totalement sa signification propre et précise. Elle devient un *mot explétif* dans différents cas de figure syntaxique comme dans différentes fonctions :

1) Il est honteux *de* mentir

2) La ville *de* Paris
3) Il me traite *de* fou

Elle y est employée devant un sujet réel (1), une apposition (2) ou un attribut (3).
Que n'a-t-on plutôt dit simplement :
1) Mentir est chose honteuse (à la manière du dicton :
   Se tromper est chose humaine, *errare humanum est*)
2) La ville qu'est Paris
3) Il me traite comme un fou

Dans les exemples suivants, le *de* explétif est renforcé par un *que de* encore plus expressif :
C'est se tromper *que de* croire (croire c'est se tromper)
Si j'étais *que de* vous (si j'étais vous)
Ce que c'est *que de* nous (si ça ne tient qu'à nous)

Il y a...

Bien des **constructions dites impersonnelles** font aussi partie des gallicismes de la langue française. Parmi elles, la célèbre formule *il y a...* qui est loin de faire l'unanimité. Sur cette expression il y a querelle de clochers !

L'éminent auteur de dictionnaire qu'est Pierre Larousse la considère comme un gallicisme. L'expression qui est équivalente à « il est » au sens existentiel, « il existe », se laisse en effet décomposer de la sorte : *il*, pronom personnel 3e personne du singulier, au neutre, sujet apparent du verbe avoir, et *y a*, verbe impersonnel équivalent au verbe être.

D'autres spécialistes récusent son appellation de gallicisme, en faisant valoir que le groupe ainsi formé ne peut survivre seul, qu'il ne forme pas un syntagme complet, car il attend une suite pour que l'expression fasse sens. Surtout, ils ajoutent qu'on retrouve cette expression dans d'autres langues ; pour preuve, l'italien : *c'è/ci sono* (anciennement *e' c'è* ou *egli c'è* ou *v'ha*), l'espagnol : *hay*, l'anglais : *there is/there are*, l'allemand : *es gibt*. En quoi serait-elle donc une spécialité caractéristique de la seule langue française ?

Mieux vaut alors parler d'un universel du langage que chacun est en droit de s'approprier. Cette structure se différencie donc trop peu d'une langue à l'autre pour constituer un gallicisme, un italianisme, un hispanisme, un anglicisme ou un germanisme. Ou alors il faudra dire que comme la tournure existe dans plusieurs « pays » de France, on lui donne le terme générique de gallicisme.

Il y a danger à sortir, pour « sortir est dangereux ».
Il y a huit jours qu'il pleut, pour « il pleut depuis huit jours ».

Citons encore d'autres constructions comme :

Il fait beau, pour dire « le temps est beau ».
Il fait jour, pour « c'est le jour ».
Il me faut un livre : j'ai besoin d'un livre.
Il a beau essayer : il essaie sans cesse mais en vain.
Il eut beau dire, on le condamna…
Il en est pour son argent.

Sans omettre les formules verbales à valeur temporelle :

Il va sortir, qui nous sert de futur progressif.
Il vient de sortir, qui fait office de passé récent.

Faire

Tu ne fais que courir.
Il ne fait que rentrer.

Au sens actif ou dans la formule périphrastique du passif, l'emploi du verbe *se faire* + *infinitif* équivaut à la *forme passive* : je me suis fait (laissé) prendre (au piège) = j'ai été pris.

Que

Si Janus romain avait double visage, *que*, dans notre parler, semble présenter un triple visage dans cet exemple de La Fontaine : « *Que* peut-il faire *que* de prier le Ciel *qu'*il vous aide en ceci ? » Tour à tour, *que* y est pronom interrogatif, particule, subordonnant complétif.

   C'est un crime *que d'*agir ainsi = agir ainsi est un crime.
Ici, il y a cumul de deux termes explétifs : *que* et *de*.

Que peut aussi se présenter très souvent comme une liaison passe-partout :

   Comment *que* tu vas ?
   Où *qu'*il est ?
   Des fois *que* ça l'amuserait…
   Même *que* je lui ai dit
   Si *qu'*on allait faire un tour
   Il ne fait *que* sortir

Cela, dans des tournures toutes plus familières les unes que les autres, empruntées en tout cas au français populaire. Molière fait ici exception :

Et je verrais mourir frère, enfant, mère et femme,
Que je m'en soucierais autant que de cela.

C'est... de / C'est... que / C'est... que de (devant un verbe à l'infinitif)

Cette triple variation est sans nul doute le clou de ces gallicismes.

Ces formules paraissent particulièrement propices à l'expression proverbiale, à en juger par les deux emprunts que nous faisons aux auteurs classiques de notre XVIIe siècle :

C'est faiblesse que d'aimer, c'est souvent une autre faiblesse que de guérir. (La Bruyère)
C'est une étrange entreprise que de faire rire les honnêtes gens. (Molière)

Peut-on les distinguer entre elles ? Devant un nom, on rencontrera toujours *c'est... que* :

Certes, c'est une grande chose que la vertu. (Baudelaire)

Plus subtile encore, la reprise par le présentatif d'un groupe composé d'une proposition relative ayant pour antécédent le pronom *ce* :

> *Ce que je sais le mieux, c'est mon commencement.* (Racine)

Dans l'exemple que voici, l'expression superlative ne demande qu'à être davantage mise en valeur :

> *Le plus risible, c'est qu'on l'avait évidemment fait très beau avant de me l'envoyer.* (Daudet)

Toutefois, même en présence d'un adjectif au positif, le présentatif *c'est* pourra se maintenir :

> L'étonnant, *c'est qu*'elle ait accepté.

Parfois, *c'* disparaitra avec une valeur superlative :

> *Ce que* je dis est la vérité.

Formule différente de :

> Ce que je dis le plus volontiers, c'est la vérité.

Signalons encore l'emploi, peut-on dire aléatoire, de l'article et des prépositions *à* ou *en* devant les noms de pays : on dit, bien vrai, « en France » pour la France, mais « au Canada » pour le Canada, ou encore « à Cuba » pour Cuba… Sans aller chercher si loin, revenons à l'intérieur de nos propres frontières.

De quelques particularismes...
à l'intérieur de nos frontières

QUELLE CHANCE vous avez, tous, d'habiter la France ! Y a-t-il beaucoup de pays dont les us et coutumes, les dialectes, les accents, les fromages et autres spécialités goûteuses sont aussi hétérogènes ? (Micheline Sommant, Dictée des Dicos d'or, 2001, Nantes)

Si vous êtes souvent par monts et par vaux, en France métropolitaine, vous savez que les mots ne sont pas les mêmes alors qu'ils désignent la même réalité : demander à une caissière de supermarché de la région parisienne *une poche*, c'est s'exposer à son incompréhension. À moins qu'avertie, cette dernière ne connaisse l'expression anglaise : *it's in the bag* qui signifie : « c'est dans le sac » (*it's in the pocket* donc !). Entrez dans une boulangerie parisienne pour y demander une *chocolatine,* on vous rira au nez. Vous vouliez sans doute parler d'un « sac », ou d'un « pain au chocolat » ! Quid encore d'un *pochon* pour dire « un sachet » ? Un tricot pour un « pull-over » ? Une *farde* en lieu et place d'un « classeur » ? Un *chicon* pour une « endive » ? Une *ducasse* pour la « kermesse locale », etc. La liste est inépuisable. À croire qu'on ne vit pas dans le même monde ! À qui ne le saurait pas encore, les *Min p'ti kinkin* et autres *biloute*, qui ont récemment triomphé au box-office, nous viennent du Nord, du pays des Ch'tis. C'est qu'à l'intérieur de ses frontières, un même pays compte plus d'un idiotisme : à chaque région, le sien, le *boubourse* du Nord n'ayant rien à envier au *fada* de Marcel Pagnol.

Le latin n'a pas donné naissance à une seule et même langue française, en tout cas, pas dès l'origine, mais à de nombreux dialectes qui ont fini par disparaître : seul le francien s'imposa en définitive. Pour faire simple, on évoquera en premier lieu la fracture de la langue entre deux régions que tout oppose : le Nord et le Sud. De fait, les dialectes se divisent en deux branches : la langue d'oïl (pour dire « oui ») au Nord (incluant francien, picard, anglo-normand…) et la langue d'oc au Sud. Le provençal, parmi les parlers d'oc, survivra, lui, comme langue littéraire. D'ailleurs, entre une *biloute* et un *alibofis* (terme hypocoristique ou périphrase descriptive pour désigner une « quéquette » ou les « attributs virils »), pas de différence : un coup dans les parties fait aussi mal dans les deux langues !

Molière se plaît à imaginer entre Nérine et Lucette, native de Pézenas, une joute verbale où le pseudo-picard de la première donne la réplique au français languedocien de la seconde.

Lucette :

Tout mon païs lo sap.

Nérine :

No ville en est témoin.

Lucette :

Tout Pezenas a bist notre mariatge.

Nérine :

Tout Chin-Quentin a assisté à no noce.

Lucette :

Quaign'imudensso ! Et coussy, miserable, nou te soubenes plus de la pauro Françon, et del paure Jeanet, que soun lous fruits de notre mariatge ?

Nérine :

Bayez un peu l'insolence. Quoy ? Tu ne te souviens mie de chette pauvre ainfain, no petite Madelaine, que tu m'as laissée pour gaige de ta foy ?

(*Monsieur de Pourceaugnac*, acte II, scène 8)

Bien souvent les linguistes se refusent à donner au terme *patois*, ce « parler local et limité », la noble appellation de « langue ». Ils préfèrent parler de ces variétés langagières locales qu'on nomme dialectes, ou sous-dialectes, ou bien encore « idiomes » de manière générale. Unique de son espèce à estimer qu'un patois est au départ l'une des formes prises par le latin parlé dans une région donnée, la linguiste Henriette Walter se refuse à y attacher le moindre jugement de valeur : « Un patois, c'est une langue. » Et le français n'est en fait qu'un patois qui a réussi…

D'ailleurs le mot même de *patois* a été emprunté par d'autres langues comme l'anglais et s'emploie pour désigner une forme locale de langue sans connotation dépréciative comme en français. Il viendrait d'un terme de l'ancien français : *patoier* qui signifie « agiter les mains », « gesticuler », puis « se comporter », « manigancer », dérivé de *patte* au moyen du suffixe –oyer. Sans doute que cette étymologie peut expliquer la connotation péjorative que le terme a pu prendre : on patoise donc quand on n'arrive plus à s'exprimer que par gestes. Une autre hypothèse étymologique ferait dériver le mot du nom latin *patria* (patrie) et ferait ainsi référence à la dispersion locale d'une variante d'un langage : à ce compte-là, mieux vaut en effet ramener dans le même bercail national les différents moutons régionaux…

Olivier Engelaere, directeur du département Langue et culture de Picardie à l'Office culturel régional d'Amiens, décompose l'origine du mot *chtimi* en *che ti mi*. Elle remonterait à la Grande Guerre, quand tous les poilus de France se sont retrouvés dans les tranchées. Les nordistes et les Picards se seraient alors reconnus, entre pays, en s'interrogeant de la sorte : *Ch'est ti ? ch'est mi !* (C'est toi ? C'est moi !) Après univerbation de tous les termes, le *chtimi* aurait pris naissance. Plusieurs décennies plus tard, et sans garantie quant à l'authenticité des dialogues savoureux, la *chortie nachionale* du film *Bienvenue chez les Ch'tis* fut un triomphe sans bornes (quand elles sont franchies, chacun sait qu'il n'y a plus de limites...). Dès son arrivée dans le Nord, le nouveau directeur de La Poste se heurte au parler de l'indigène local :

– *Vous avez mal quand vous parlez, non ? [...]*
  Je vous assure, vous vous exprimez d'une manière
  très particulière !
– *Parce que je parle ch'ti alors ?*

Les retrouvailles au restaurant de toute l'équipe sont un autre grand moment d'initiation au langage du coin. En quelques mots, voici un petit cours de langue chtimi(e) : *Bin ch'est du bieau* ou le *'tiot lexique du ch'ti*.

Hein, pour « un »
Uin de dious, pour « nom de Dieu »
Du brin, pour « merde »

Le miard, pour « le bordel »
Acoute ichi, pour « écoute ça »
Viens vir, pour « viens voir »
Ça drache, pour « il tombe des cordes ! »
Dire quoi, pour « parler »

D'une région l'autre, d'une langue à l'autre, il y a un fossé : on ne croit pas entendre le même son de cloche, au propre comme au figuré. Revisitons le Marseille de Marcel Pagnol dans son jus. Pour qualifier le parler marseillais (du sud de Valence), que dire sinon qu'il ne s'agit ni d'argot ni de dialectal pur, mais d'un héritage de la langue d'oc. Outre l'accent et les intonations, il offre mots et tournures de phrases plus ou moins inhabituels, voire extravagants : *Voilà l'homme que je vous ai parlé* au lieu de la forme rigoureusement correcte « dont je vous ai parlé ». Mais cela apporte « comme qui dirait » un parfum de terre étrangère, on ne comprend pas bien, on ne comprend pas tout : c'est à la fois une cure de jouvence pour ceux qui cultivent avec fierté la différence de leur phrasé, comme « une rigolade du langage », et, pour les étrangers en terre française, un moyen de s'encanailler à peu de frais. En quelques mots, on peut planter aisément le décor et camper des personnages hauts en couleur. On les entend déjà, en train de boire le *pastagua* avec, côte à côte, le *papet* (le vieil homme respectable) et le *fada*, l'idiot, le niais du film *Manon des Sources* : *pécaïre/peuchère* (le pauvre) ; *fan de chichourle* (enfant de jujube) ; le *couillosti* (le pauvre imbécile), etc. En ce pays de France, le *pissadou* fait office de « water-closet », d'urinoir, en bon français. Les variantes locales du « lieu » sont d'ailleurs plus pittoresques les unes que les autres, reprenant la racine latine *cagare* : *cabèches, cagadou, cagoins*. Le verbe *bader* y veut dire « contempler » ; une *balayure* désigne une « poubelle ». Un *balès*, c'est un homme costaud, quelle que soit sa graphie : *balèze, balaise*. Pour dire que quelque chose est transparent, on emploiera l'expression : voir la vierge à travers. Le *Vé* associé à *Té* signifiera « regarde ». *Celui-là, il t'invite chaque fois qu'il lui tombe un œil* : « rarement ». Un(e) *feignas(se)* sera un « fainéant », etc. Il faut connaître les codes, sinon gare aux impairs. Car ici *adessias* veut dire « au revoir » et *adieu*, « bonjour ».

Un petit détour par le Sud-Ouest nous permettra de vous présenter le patois qui est le nôtre, le *bordeluche*. Une *mounaque, qu'es aquo ?* Une poupée de chiffon, un épouvantail. Une *souillarde* ? Une arrière-cuisine pour souillon. De la *lugagne* ? Une saleté au coin de l'œil. Une *gueille* ? Un vieux vêtement. Une *mouquire* ? Autre nom de la morve. Une *échoppe* ? Une maison simple, de plain-pied. Un *contre-vent* ? Un volet pour se protéger du vent. Une *brêle* ? Un incapable, un bon à rien. Une *rouste* ? Une raclée. Un *poutou* ? Un baiser. Les verbes sont tout aussi expressifs : chez nous, *tchourer*, c'est voler ; *gnaquer*, mordre ; *avoir du mail*, du taf, du travail ; *serrer les affaires*, c'est les ranger, les classer ; *raquer*, payer trop cher ; *chibrer*, bousiller, abîmer ; *coucougner*, dorloter ; *cramer*, brûler ; *décaniller*, faire tomber ; ne plus pouvoir *arquer*, marcher ; *être pompette*, être ivre (de *pompar* : s'imprégner d'un liquide) ; *avoir la pétoche*, avoir peur ; *dailler*, emmerder ; être *maché*, meurtri, abîmé, etc. Sans oublier le fameux *Hé bé !* – expression marquant le plus souvent la réprobation (mais avec gentillesse), sans laquelle la touche finale typiquement bordelaise ne serait pas au rendez-vous !

Tout milieu, tout corps de métier, toute école, grande ou petite, dispose d'expressions bien à lui ou à elle, pas forcément comprises par le profane. Célèbre école en trois lettres qu'on rencontre dans les mots croisés, en concurrence sur ce seul point avec l'ENA (École nationale de l'administration), l'ENS (École normale supérieure de la rue d'Ulm) est le nom du prestigieux établissement, dans lequel « intègrent » les élèves de classes préparatoires, littéraires comme scientifiques.

Parmi tous les *khagneux* ou *taupes* qui présentent le concours d'entrée à l'École, combien, d'ailleurs, seront admissibles et combien simplement *sous-alpha* ? Tout un langage leur est propre : chez ces gens-là, le saviez-vous, l'*aquarium* désigne le hall d'entrée de l'École. Au milieu de la cour intérieure, le bassin *aux Ernest* (pacifiques poissons rouges, ainsi nommés d'après un ancien directeur, Ernest Bersot) est le théâtre de bien des plongeons, les jours d'annonce des résultats ! Quant au *bocal*, il désigne la feuille de chou hebdomadaire produite par les mêmes élèves qui se rendent au moins deux fois par jour au *pot* pour y prendre leur repas. Dans cette ancienne cantine, aujourd'hui *self*, il était de bon ton de dire : « Le pot c'est bon. » Le temps est loin, en tout cas, où la guerre faisait rage entre les *talas* (les élèves qui allaient *à la* messe, avec la liaison appuyée) et les autres. Quittant leur *thurne* (chambre d'internat), les *scrits* (abréviation de conscrits pour les élèves de 1ʳᵉ année) croisent des *archi-cubes*, anciens élèves, qui traînent encore leurs guêtres dans la *K-fête*. Ce n'est pas là, en tout cas, que ces grosses têtes, ces *caciques* (reçus premiers au concours d'entrée ou à l'agrégation) d'un jour, ces *caïmans* (agrégés répéti-teurs), trouveront de quoi tromper leur ennui !

Dans le même ordre d'idées, on évoquera le parler des carabins/médecins, des journalistes, des scientifiques, des sportifs, des informaticiens… Les précieuses, en leur temps, avaient aussi le leur, qu'un certain homme de théâtre se plut à singer. De nos jours, les résidants du XVIᵉ arrondissement semblent ne pas parler tout à fait la même langue que ceux du 93, ou des autres « quartiers ». D'ailleurs, le triangle « Auteuil, Neuilly, Passy » connut son heure de gloire, à la faveur d'une chanson des Inconnus. Certains « idiomes » restent bien plus confidentiels. Nous en connaissons un qui fut le fruit de l'imaginaire de quelques-uns de nos anciens élèves. Avec leur accord, nous vous en livrons juste le nom de code, le *socissakey*… Ce langage privé n'avait d'autre fin que de créer entre ses membres une connivence supplémentaire, réservée aux seuls initiés, les *happy few*. Nous nous garderons bien d'en divulguer les secrets, craignant trop qu'en lui faisant quitter sa sphère primitive, on ne lui ôte son particularisme… idiomatique.

PARTIE 2

Les expressions idiomatiques d'une langue... à l'autre

ON AIMERAIT pouvoir échapper aux lieux communs et autres stéréotypes nationaux. Reste que ceux-ci ont la peau dure. Reste qu'il y a des données dont la constance semble plaider pour la spécificité des identités nationales. Qu'il en soit ainsi, après tout, n'a rien d'étonnant – et on devrait même s'en réjouir, si on aime les langues… et si on respecte les us et coutumes des gens qui les parlent. Pour dire l'équivalent de l'expression *la goutte d'eau qui fait déborder le vase*, les Allemands, grands amateurs de bière, parleront d'un tonneau qui déborde : *Das bringt das Fass zum Überlaufen*. Les Espagnols, plutôt que de *ménager la chèvre et le chou*, comme ces mécréants de Français, *brûleront un cierge à Dieu et un autre au diable*. Chaque pays, croit-on comprendre, voit midi à sa porte…

On a classé ces diverses expressions par grandes catégories – les **animaux**, le **corps**, les **chiffres**, les **objets**, la **nature**, les **activités humaines** –, et on les a déclinées dans plusieurs langues, abrégées comme suit :

All. Allemand
Ang. Anglais
Esp. Espagnol
Gre. Grec
Ita. Italien
Née. Néerlandais

Rou. Roumain
Tun. Tunisien
Etc.

Selon la loi du genre, elles se suivent à la queue leu leu, ou à la file, et marchent en rangs d'oignon. Cette « file » est communément qualifiée d'« indienne » – ce que reprennent une bonne partie de nos voisins européens : *indian file* (ang.), *en fila india* (esp.), *in fila indiana* (ita.). Chez nos amis allemands, les oignons deviennent… des oies : *im Gänsemarsch*, ou bien des perles sur un fil : *wie Perlen auf einer Schnur*. Manquera juste à ce catalogue « à la Prévert »… un raton-laveur !

Un double principe préside à leur comparaison, terme à terme : ne pas privilégier indûment l'anglais, et donner ainsi leur chance à d'autres langues, tout aussi riches et importantes ; privilégier l'expression la plus pittoresque, ou la plus représentative. À l'évidence, l'exhaustivité n'est pas au rendez-vous, et la sélection pourrait paraître arbitraire. Ce petit livre se veut une simple mise en bouche, un amuse-gueule, mutipliant les découvertes, à partir de spécialités choisies sur une « carte » aussi internationale que possible. Les traductions proposées y sont littérales, parfois *jusqu'à l'absurde*. Que les puristes ne s'en offusquent pas outre mesure ! L'objectif est de mettre en lumière le sens exact de chacune de ces expressions, afin de mieux faire comprendre les transpositions sur lesquelles elles reposent. À l'arrivée, on aura cherché à illustrer quelque chose d'équivalent, sur le plan des langues, à ce qu'est la « biodiversité » dans les espèces animales ou végétales. À charge pour nous, locuteurs de France et d'ailleurs, de préserver la première, au même titre que la seconde !

Dans un premier temps, **Chez nous / chez eux,** l'expression idiomatique française donnera le ton. Dans un temps second, et non deuxième, **Chez eux / chez nous,** la démarche s'inversera, et on accordera cette fois la priorité aux expressions en usage ailleurs, qu'on chargera cette fois de mener la danse.

C'est que nous ne tenions pas à pécher par excès de franco-centrisme. Pousser un retentissant cocorico, se dresser sur ses ergots hexagonaux (!), n'a guère de sens, en effet, si l'on songe que, cuisiné à la sauce allemande ou espagnole, l'arrogant gallinacé n'émet pas le même cri, et que le coq au vin n'y a pas tout à fait le même goût...

Chez nous... chez eux

Chercher la petite bête
(les animaux)

Âne (être un — bâté)

Sens : être un ignorant, un lourdaud.

All. *Ein Brett vor dem Kopf haben* : avoir un panneau
en bois devant la tête

Das grösste Kamel auf Gottes Erdboden : le plus
grand chameau sur la terre de Dieu

Du Schafskopf: (tu es) une espèce de tête de mouton

Ang. *To be thick* : être épais

To be a perfect ass : être un parfait âne

Esp. *Ser un cacho/pedazo de burro* : être un morceau d'âne

No le entra ni a empujones : ça n'entre pas, même
si l'on pousse à toute force

Ita. *Gli manca un giovedi, un venerdi* : il lui manque un
jeudi, un vendredi. Il lui manque une case !

Bref, être une triple buse… ne pas être fute-fute !

Anguille (il y a — sous roche)

Sens : on soupçonne quelque chose de pas clair.

All. *Da ist etwas im Busch* : il y a quelque chose dans le buisson

Ang. *There must be something in the wind* : il doit y avoir quelque chose dans le vent
I smelt a rat at once : j'ai tout de suite reniflé un rat
There's a snake in the grass : il y a un serpent dans l'herbe

Bas. (basque) Il y a pibale sous caillou

Dan. *Der er ugler i mosnr* : il y a des chouettes dans le marais

Esp. *Hay gato encerrado* : il y a un chat enfermé

Gre. *Kapoio lakko echei e phaba* : il y a un trou dans la purée de fèves

Ita. *Qui gatta ci cova* : ici il y a une chatte en train de couver quelque chose

Lat. *Latet anguis in herba* : il y a un serpent qui se cache dans l'herbe

Née. *Er schuilt een addertje onder het gras* : il y a une vipère sous l'herbe

Araignée (avoir une — au plafond)

Sens : on connaissait le dicton « Araignée du matin, chagrin, araignée du soir, espoir » ; rien à voir ici avec cette expression qui signifie : avoir l'esprit dérangé.

All. *Einen Dachschaden haben* : avoir un dégât dans le toit
Einen Vogel haben : avoir un oiseau dans le crâne
Grillen im Kopf haben : avoir des grillons dans la tête (des idées farfelues, des lubies)

Ang. *To have bats in the belfry* : avoir des chauves-souris dans le clocher
To be nutty as a fruitcake : être « noix » comme un cake aux fruits
To have something wrong in the upper story : avoir quelque chose qui ne va pas à l'étage supérieur

Dan. *At have rotter pa loftet* : avoir des rats au grenier

Esp. *Es pajaros en la cabeza* : (avoir) des oiseaux dans la tête
Estar mal de la azotea / del tejado : être mal du plafond / onduler de la toiture

Ita. *Essere un po' (matto) tocco* : être un peu cinglé

Née. *Een klap van de molen gehad hebben* : avoir reçu un coup de moulin

Por. *Ter macaquinhos no sotâo* : avoir des petits singes dans le grenier

Rou. *A fi mâncat ceapa ciorii* : avoir mangé de la dame d'onze heures

On songe encore avec effroi au « peuple muet d'infâmes araignées » qui tapissent le cerveau du poète des *Fleurs du Mal.*

Bête (chercher la petite)

Sens : créer des difficultés là où il n'y en a pas, chercher méticuleusement à pointer du doigt le détail qui fait problème. L'une des variantes serait *couper les cheveux en quatre* ou, comme cela se dit en Belgique, *ennuyer son monde jusqu'au bout…*

All. *Ein Haar in der Suppe finden* : trouver un cheveu dans la soupe

Ang. *To be always nit-picking* : toujours chercher des poux dans la tête

Esp. *Buscarle la quinta pata al gato* : chercher la cinquième patte au chat
Ser un chinche : chercher une punaise

Gre. *Psahno psilous sta achira* : je cherche des puces dans le foin

Ita. *Cercare il pelo nell' uovo* : chercher le poil dans l'œuf

Mar. *Wakaf beida fitass* : mettre un œuf debout dans un verre

Née. *Spijkers op laag water zoeken* : chercher des clous à marée basse

Bœufs (mettre la charrue avant les)

Sens : anticiper sur le résultat, vouloir aller trop vite en besogne, aller plus vite que la musique, dirait-on familièrement, bref ne pas faire les choses dans le bon ordre et vouloir finir avant d'avoir commencé.

All. *Das Pferd beim Schwanz aufzäumen* : brider le cheval par la queue

Ang. *To put the cart before the horse* : mettre le van avant le cheval

Esp. *Empezar la casa por el tejado* : commencer la maison par le toit

Tun. *Sebbek el hssira kbel el jemaa* : il a fait passer la natte avant la mosquée

Bref, vouloir être commandant avant d'être matelot ! *Se fai pas lou civié avans d'avé la lèbre*, dit-on encore en Provence : on ne fait pas le civet avant d'avoir le lièvre.

Chat (appeler un — un)

Sens : nommer les choses sans détour.

All. *Das Kind beim Namen nennen* : appeler l'enfant par son nom

Ang. *Let's call a spade a spade* : appelons une bêche une bêche

Esp. *Llamar al pan, pan, y al vino, vino* : appeler le pain du pain et le vin du vin

Gre. *Leo ta sika sika ke tin skafi skafi* : j'appelle les figues figues et le bassin bassin (d'eau)

Ita. *Dire pane al pane e vino al vino* : dire pain pour pain et vin pour vin

Face aux évidences, il semblerait qu'on soit tous à égalité. Quelle que soit la langue, on retrouve toujours la même figure tautologique.

(avoir d'autres — à fouetter)

Sens : avoir des affaires autrement plus importantes en tête.

Ang. *To have other fish to fry* : avoir d'autres poissons à frire

Gre. *Exo alles skotoures* : j'ai d'autres soucis

Ita. *Avere altre gatte da pelare* : avoir d'autres chattes à peler

(donner sa langue au)

Sens : renoncer à trouver la solution par soi-même.

All. *Nicht mehr weiterraten* : renoncer à deviner

Ang. *To throw in the towel* : jeter la serviette

Esp. *Me rindo* : je me rends, j'abandonne

    Darse por vencido (en un acertijo) : s'avouer vaincu
    face à une devinette

Gre. *Katapiè tè glossa tou* : il a avalé sa langue

Ita. *Rinunciar a indovinare* : renoncer à deviner
    Gettare la spugna : jeter l'éponge

Mar. *Baât hmari* : j'ai vendu mon âne

Moralité : « Chat échaudé craint l'eau froide. » En anglais, *once bitten, twice shy* : une fois mordu, deux fois plus prudent (timide).

Cheval (ne pas se trouver sous les sabots d'un)

Sens : se dit d'une chose rare, difficile à trouver en tout cas, surtout si elle est de valeur.

Ang. *It doesn't grow on trees* : ça ne pousse pas sur les arbres
    To be as rare as hen's teeth : être aussi rare que les dents
    chez une poule

Esp. *Ser un mirlo blanco* : être un merle blanc
    Más raro que un perro amarillo : plus bizarre qu'un
    chien jaune

Ita. *Raro come una mosca bianca* : rare comme une
    mouche blanche

Rus. *Ça ne traîne pas sur la route*

Chèvre (ménager la — et le chou)

Sens : ne pas vouloir prendre position, ménager les deux camps en présence.

All. *Auf zwei Pferde setzen* : miser sur deux chevaux

Ang. *To run with the hare and hunt with the hounds* : courir avec le lièvre et chasser avec la meute des chiens

To sit on the fence : s'asseoir sur la clôture

Bel. *Noyi inte deux aiwes* : nager entre deux eaux

Esp. *Encender une vela a Dios y otra al Diablo* : brûler un cierge à Dieu et un autre au diable

Saber nadar y guardar la ropa : savoir nager tout en gardant ses vêtements

Nadar entre dos aguas : nager entre deux eaux

(**Catalogne**) *Fer la puta i la Ramoneta* : jouer la putain et la « Ramoneta »

Gre. *Ke tin pitta sosti ke ton skilo chortato* : que la tarte soit intacte et le chien rassasié

Ita. *Salvare capra e cavoli* : sauver la chèvre et les choux

Bref, de quoi devenir… chèvre !

Chien (être reçu comme un — dans un jeu de quilles)

Sens : être très mal reçu.

Ang. *As welcome as a skunk at a lawn party* : aussi bienvenu qu'un putois dans une garden-party
As welcome as a dog on a putting green : aussi bienvenu qu'un chien sur un green de golf

Esp. *Como los perros en misa* : comme les chiens à la messe
Como gallina en corral ajeno : comme une poule dans une basse-cour

Ita. *Essere accolto a pesci in faccia* : être accueilli avec des poissons à la figure

Cochons (être copains comme)

Sens : être très amis et complices. L'étymologie remonterait au mot *soçon* signifiant « camarade », puis *chochon* et *cochon*...

All. *Wie Pech und Schwefel zusammenhalten* : être unis comme le brai (résidu pâteux de la distillation des goudrons) et le soufre

Ang. *To be as thick as thieves* : être complices comme des voleurs

They get on like a house on fire : ils s'entendent comme une maison en feu

Esp. *Estar a partir un piñon* : être comme deux doigts de la main

Ser uña y carne : être ongle et chair

Ita. *Essere amici per la pelle* : être amis à en donner sa peau (à la vie, à la mort)

Tun. *Rassine fi chéchia* : deux têtes dans un chapeau

Bref, comme on le dit dans le Nord, *ni chir qui d'on cou* : ne chier que par un cul (!), ou *ch'est cul et qu'miche* : c'est cul et chemise.

Coq (sauter du — à l'âne)

Sens : passer ou sauter du coq à l'âne, c'est changer inopinément de sujet, ne pas avoir de fil conducteur.

All. *Vom Hundertsten ins Tausendste kommen* : passer du 100ᵉ au 1000ᵉ

Vom Hölzchen zum Stöckchen : (passer) du bout de bois au bâtonnet

Ang. *A non sequitur* : une inconséquence (cela ne se suit pas, en latin)

Bel. (Wallonie) *Jâser d'traze à quatwaze* : parler de 13 à 14.

Esp. *Saltar de un tema a otro* : sauter d'un sujet à l'autre

Ita. *Saltare di palo in frasca* : sauter du poteau à la branche
Sfarfalliare : voler comme un papillon

Née. *Van de hak op de tak springen* : sauter du talon sur la branche

Lapin (être un chaud)

Sens : être porté(e) sur « la chose », sur les plaisirs sexuels, eu égard sans doute aux capacités reconnues de cet animal.

All. *Ein geiler Bock* : un bouc lubrique
Ein Lutsmolch : un triton à l'affût du plaisir
Ein Schürzenjäger : un chasseur de tabliers

Ang. *To be a good lay* : un bon coup
To be a horny devil : un diable à cornes
To be randy : être aguiché, excité sexuellement, « chaud »

Pour parler des mêmes dispositions pour une femme, l'image anglaise des *hot pants* (culottes chaudes) se retrouverait un peu partout. Elle recoupe l'expression siglée, et chiffrée, que l'on doit à Marcel Duchamp : L.H.O.O.Q.

Esp. *Ser un cachondo* : être chaud comme un animal en rut
Estar más caliente que las pistolas del coyote : être plus chaud que les pistolets du coyote. Tirer plus vite que son ombre ! Au propre comme au figuré !

Ita. *E un mandrillo quell'uomo !* Quel singe (satyre !) cet homme !

Por. *Ser um garanhao* : être un étalon

(poser un)

Sens : ne pas se rendre à un rendez-vous, faire faux bond à quelqu'un.

All. *Jemanden sitzen lassen* : laisser quelqu'un assis
Jemandem einen Korb geben : donner un panier à quelqu'un

Ang. *Stand somebody up* : laisser quelqu'un debout

Chi. *Fang gezi* : lâcher un pigeon

Esp. *Dar calabazas / un plánton a alguien* : donner des courges à quelqu'un / planter quelqu'un

Gre. *Stino kapion* : je plante quelqu'un

Ita. *Fare un bidone a qualcuno* : faire un « entubage » à quelqu'un, le rouler
Dare buca a qualcuno : donner un trou/creux à quelqu'un

Née. *Zijn kat sturen* : envoyer son chat

Tun. *Kasslou bounou* : il lui a coupé un billet
Quid alors du « coup du lapin » ?

Loup (mettre le — dans la bergerie)

Sens : introduire quelqu'un dans un lieu où il peut se montrer dangereux.

All. *Den Bock zum Gärtner machen* : prendre le bouc comme jardinier
Ang. *To set the cat among the pigeons* : introduire le chat parmi les pigeons
Gre. *Vazo ton liko sto mantri* : je place le loup sur la clôture
Lat. *Hosti portas aperire* : ouvrir les portes à l'ennemi (comme au cheval de Troie par exemple…)
Née. *De kat op het spek binden* : attacher le chat sur le lard

(connu comme le — blanc)

Sens : être très connu (les loups blancs étant fort rares, ils étaient faciles à repérer).

All. *Bekannt sein wie ein bunter Hund* : être connu comme un chien multicolore
Bel. (Wallonie) *Esse kinohu comme Barabbas à l'passion* : être connu comme Barabbas à la passion

Esp. *Ser más conocido que la ruda* : être plus connu que la rue (plante des prés)

Ser más conocido que la Pepita en su barrio : être connue comme la Pépita dans son quartier

Ser más famoso qua El Litri : être plus connu que Manuel Baez Gomez (1905-1926), dit Litri, célèbre matador

Ita. *Essere conosciuto come l'erba bettonica* : être connu comme la bétoine (plante médicinale)

Tun. *Maarouf kif ethom lablèg* : être connu comme le taureau en furie

Poules (quand les — auront des dents)

Sens : quand les poules auront des dents, soit jamais.

All. *Wenn Fische fliegen lernen* : quand les poissons voleront

Am Sankt Nimmerleinstag : le jour de la Saint-Petit-Jamais

Ang. *When pigs might fly / have wings* : quand les cochons voleront / auront des ailes

Esp. *Cuando las ramás críen pelos* : quand les grenouilles auront des poils

Gre. *Stis 32 tou minos* : le 32 du mois !

Bref, aux calendes… grecques ! Autrement dit, se reporter à des dates qui n'existaient pas dans la Grèce antique, mais seulement à Rome, où elles correspondaient au premier jour de chaque mois. Bien nommées, elles correspondaient au jour d'échéance des dettes. Mais l'histoire n'a retenu qu'une date plus sanglante, celle des Ides de mars, jour de l'assassinat de César.

> *Quand un loup épouse une brebis…* chez Aristophane, *La Paix*
>
> *Quand des loups aiment des agneaux* pour Platon, *Phèdre*

Ita. *Quando gli asini voleranno* : quand les ânes voleront

Née. *Wanneer de kalveren op het ijs dansen* : quand les veaux danseront sur la glace

Tch. *Quand le coq pondra des œufs*

À moins que nous ne remettions cela au 36 du mois, qui se dira en anglais : *Once in a blue moon !* (Deux pleines lunes, le même mois calendaire : le phénomène n'intervient que tous les deux ans et demi, par siècle.)

Improbable, non ?

Vache (pleuvoir comme — qui pisse)

Sens : pleuvoir comme vache qui pisse, c'est pleuvoir beaucoup. On dit encore : *pleuvoir des cordes* ou *pleu-*

voir à verse (plus exactement *à la verse*). On reconnaît là l'origine de notre mot *averse*... qualifiant cette pluie soudaine et abondante.

All. *Es regnet Bindfäden* : il pleut des cordelettes
Es regnet in Strömen : il pleut à torrents

Ang. *It's raining cats and dogs* : il pleut des chats et des chiens
It's pouring with rain / it's pissing down : il pleut à verse
The rain is coming down in sheets : il tombe des draps d'eau

Ara. *Le ciel est tombé* (sur la tête) !

Esp. *Caen chuzos de punta* : il tombe des piques. Faisant écho à : *tomber des hallebardes*, de registre plus guerrier, épique !

Gre. *Il tombe des prêtres*

Ita. *Piove a catinelle* : il pleut à seaux (cuvettes d'eau)

Née. *Het regent pijpestelen* : il pleut (tombe) des tuyaux de pipe

En bordeluche (voir plus haut), il pleut *comme qui la jette...*

Sans queue ni tête
(les parties du corps)

Bras (avoir le — long)
Sens : avoir de l'influence ou des relations…

Ang. *To have friends in high places* : avoir des amis bien/
haut placés

He can pull ropes : il sait tirer les bonnes cordes

Ita. *Avere le mani in pasta* : avoir les mains dans la pâte

(les — m'en tombent)
Sens : j'en reste ahuri, stupéfait, bouche bée.

All. *Da bleibt einem die Spucke weg* : ça vous coupe la salive

Da bin ich aber platt : j'en suis tout aplati

Ang. *One could have knocked me down with a feather* :
on aurait pu m'assommer d'un coup de plume

I can't believe it ! je ne peux y croire !

Esp. *Me quedo de una pieza* : je reste tout d'une pièce,
d'un seul morceau

Née. *Ner breekt mijn klomp* : maintenant mon sabot casse

Cuisse (sortir de la — de Jupiter)

Sens : se prendre pour un dieu vivant.

All. *Sich wie's Herrgöttle aufführen* : se comporter comme un petit dieu (se dit dans le Sud)

Ang. *To think of oneself as the brightest light/bulb on the Christmas tree* : se prendre pour l'étoile/l'ampoule la plus brillante du sapin de Noël

To think no small beer of one self : ne pas se prendre pour de la petite bière

To think one is God's gift to mankind : croire qu'on est un don de Dieu aux hommes

He's too big for his boots : il est trop gros pour ses bottes (très familier)

Can. *Se péter les bretelles* : ne plus passer par la porte

Esp. *Creerse la reina de los mares* : se prendre pour la reine des mers

Creerse el rey de Prusia : se croire le roi de Prusse

Gre. *Nomizo oti kapios ime* : je crois être « quelqu'un »

Ita. *Si crede chissà chi* : il se croit qui sait qui

Discendere dalla costola di Adamo : sortir de la côte d'Adam

Référence culturelle montrant qu'on a quelques humanités chez les Français, et une culture religieuse chez les Italiens.

Estomac (avoir l'— dans les talons)

Sens : avoir très faim.

All. *Hunger haben wie ein Bär* : avoir une faim d'ours
     Der Magen hängt in den Kniekehlen : avoir l'estomac
     pendu dans les jarrets

Ang. *To be hungry as a horse / a bear / a hawk* : être affamé
     comme un cheval / un ours / un faucon

Esp. *Tener el estómago en los pies* : avoir l'estomac dans
     les pieds

Fla. (flamand) *I hagn'reut on clâ es deus* : il mordrait un
     clou en deux

Lat *Rabidus fame, ceu canis* : être affamé comme un chien

Née. *Honger alse en poard hebben* : avoir une faim de cheval

Por. *Ter umo fome de leao* : avoir une faim de lion
     Estar com o estomago nas costas : être avec l'estomac
     dans le dos

Pro. (provençal) *Ai uno fame que la vese courre* : j'ai une
     faim que je la vois courir

Il faut être contorsionniste, pour sûr !

Gueule (avoir la — de bois)

Sens : avoir la migraine, une bouche sèche et pâteuse,
au lendemain d'une cuite.

All. *Einen Kater haben* : avoir un chat (matou)

Il semblerait que cette expression ait été inventée par des étudiants au XVIIᵉ siècle. Alors même qu'ils ne pouvaient se rendre en cours après avoir trop bu la veille, ils prétendaient avoir un *Katarrh*, une infection des voix respiratoires supérieures. Le mot se serait par la suite transformé en *Kater* (matou). On ne comprend pas autrement la référence à un chat.

Ang. *To have a hangover* : subir les conséquences (d'une cuite)

Esp. *Tener resaca* : avoir du ressac

Ita. *Avere i postumi della sbornia* : avoir les séquelles de la cuite

Née. *Een houten bek hebben* : avoir la gueule de bois

Jambe (un emplâtre sur une — de bois)

Sens : un remède inadapté, une mesure inefficace.

Ang. *It is as much use as a poultice on a wooden leg* : aussi utile qu'un cataplasme sur une jambe de bois

Née. *Het is boter aan de galg* : c'est du beurre sur la potence

Rou. *Asta-i ca o frecție la un picior de lemn !* c'est comme une friction à une jambe de bois !

Asta ajută ca ventuza la mort ! ça aide comme une ventouse aide un mort !

Variante : ce plat vous fait un emplâtre sur l'estomac ; en anglais, *this dish lies heavily like a solid lump in your stomach* : ce plat est aussi lourd qu'une masse solide dans l'estomac.

Main (ne pas y aller de — morte)

Sens : agir franchement, sans retenue, parfois très brutalement.

All. *Energisch vorgehen* : agir avec énergie

Ang. *Not to pull one's punches* : ne pas retenir ses coups de poing

Not to do things by halves : ne pas faire les choses à moitié

Esp. *No andarse con chiquitas* : ne pas user de petites choses

Ita. *Andarci giù di brutto* : y aller par en dessous de mauvaise façon, cogner méchamment

Non andar(ci) per il sottile : ne pas (y) aller pour le fin, ne pas faire dans la subtilité

(mettre la — à la pâte)

Sens : aider, participer à la tâche collective.

All. *Ordentlich zupacken* : aider comme il faut
Hand anlegen : y mettre sa main

Ang. *To put your shoulder to the wheel* : mettre l'épaule à
la roue

Esp. *Poner manos a la obra* : mettre les mains à l'ouvrage

Nez (mener quelqu'un par le bout du)

Sens : manipuler.

All. *Jemanden an der Nase herumführen* : promener
quelqu'un par le nez

Ang. *To twist somebody round your little finger* : enrouler
quelqu'un autour de son petit doigt

Née. *Iemand naar z'n pijpen laten dansen* : faire danser
quelqu'un au son de la flûte

(gagner les doigts dans le)

Sens : remporter la mise très facilement. Tout le contraire
d'une victoire à la Pyrrhus donc !

All. *Etwas mit links schaffen* : y arriver avec la (main)
gauche

Ang. *As easy as pie / a piece of cake* : aussi facile qu'une
tarte / un morceau de gâteau

With one's hands tied behind one's back : avec les mains liées derrière le dos

Esp. *Está chupado* : c'est sucé

Sin despeinarse : sans se décoiffer

Gre. *Peguidaki* : un jouet

Ita. *Con le mani in tasca* : avec les mains en poche

Por. *Com um pé nas costas* : avec un pied au dos

Rou. *E floare la ureche* : c'est une fleur à l'oreille

Fingers in the nose… dirait un certain Jean-Louis Chiflet !

(tirer les — du nez)

Sens : faire adroitement avouer quelque chose à quelqu'un.

All. *Jemandem die Würmer aus der Nase ziehen* : tirer les vers du nez

Ang. *To worm a secret out of somebody* : soutirer un secret à quelqu'un (en se tortillant)

Esp. *Sonsacar* : obtenir des renseignements

Gre. *Cgazo tin alithia me to stagonometroje* : je sors la vérité au compte-gouttes

Ita. *Scalzare uno* : déchausser quelqu'un

Far cantare qualcuno : faire chanter quelqu'un

Oreilles (dormir sur ses deux)

Sens : dormir profondément, à poings fermés.

All. *Schlafen wie ein Bär / ein Murmeltier* : dormir comme un ours / une marmotte

Ang. *To sleep like a log / a top* : dormir comme une bûche / une toupie

Ara. *Yorkod kima el bébé* : dormir comme un bébé

Esp. *Dormir a pierna suelta* : dormir la jambe relâchée

Ita. *Dormire fra due guanciali* : dormir entre deux oreillers

Rou. *Doarme de potí sá tai lemne pe el* : dormir si profondément qu'on pourrait couper du bois sur lui.

Le sommeil du juste, vous en avez entendu parler ?

Pas (se sortir d'un mauvais)

Sens : surmonter une difficulté.

All. *Über den Berg sein* : être de l'autre côté de la montagne
Licht am Ende des Tunnels sehen : voir la lumière au bout du tunnel

Ang. *To have turned the corner* : laisser le virage derrière soi
To get out of the wood : sortir du bois
To be over the hump : avoir passé la bosse

Esp. *Sacar de un apuro* : sortir d'un mauvais pas
Ita. *Togliersi d'impaccio* : se tirer d'embarras

Pied (couper l'herbe sous le)

Sens : devancer quelqu'un pour lui voler l'avantage, le supplanter.

All. *Jemandem den Wind aus den Segeln nehmen* : faire que le vent ne soufle plus dans les voiles de quelqu'un
Ang. *To cut the ground from under somebody's feet* : faire que le sol se dérobe sous les pas de quelqu'un
      To take the wind out of somebody's sails : couper la route d'un concurrent à la voile, le priver de vent
Ita. *Fare le scarpe a qualcuno* : voler les chaussures de quelqu'un
Née. *Iemand het gras voor de voeten wegmaaien* : tondre l'herbe devant les pieds de quelqu'un

(mettre les — dans le plat)

Sens : arriver avec ses gros sabots…

All. *Wie ein Elefant im Porzellanladen* : comme un éléphant dans un magasin de porcelaine

Ins Fettnäpfchen treten / in den Fettnapf treten :
marcher dans les écuelles de graisse

Ang. *To put one's foot in it* : marcher dedans

Esp. *Entrar como un elefante en una cacharrería* : entrer
comme un éléphant dans un magasin de casseroles
et de poteries

(**Argentine**) *Meter el dedo en la llaga* : mettre le doigt
dans la plaie

Ita. *Prendere una cantonata* : se prendre un coin de rue
Fare una gaffa madornale : faire une gaffe énorme

(faire des — et des mains)

Sens : se démener, adopter tous les moyens possibles
pour parvenir à ses fins.

All. *Alle Register ziehen* : actionner tous les tirants de
jeu (d'un orgue)

Ang. *To move heaven and earth* : remuer ciel et terre

Égy. *Travailler avec ses mains et ses dents*

Gre. *Kano ta adinata dinata* : je rends l'impossible possible

Isr. *Faire des 8 dans le ciel*

Ita. *Arrampicarsi sugli specchi* : grimper sur les miroirs

Née. *Op zijn kop gaan staan* : se mettre debout sur la tête

(avoir bon —, bon œil)

Sens : se porter comme un charme.

Ang. *As fit as a fiddle* : se porter aussi bien qu'un joueur de crincrin, ou qu'un bouffon

Esp. *Estar más sano que una manzana* : être plus sain qu'une pomme

Ita. (Sicile) *Aviri l'occhiu vivu* : avoir l'œil vif

(casser les —)

Sens : importuner, voire em…

All. *Jemandem auf den Wecker gehen* : aller sur le réveil de quelqu'un

Ang. *To get someone's goat* : voler la chèvre de quelqu'un (il était de coutume de placer une chèvre dans le box des pur-sang, la veille d'une course, car cette présence avait un effet calmant ; il arrivait qu'un concurrent déloyal cherchât à dérober la bique en question)

To be a pain in the neck : être une douleur dans le cou

Esp. *Me tiene hasta la coronilla* : j'en ai jusqu'au sommet du crâne

Ita. *Rompere le scatole a qualcuno* : briser les boîtes de quelqu'un

Queue (tirer le diable par la)

Sens : avoir des difficultés à subvenir à ses besoins quotidiens.

All. *Am Hungertuch nagen* : ronger le tissu de la faim

Ang. *To live from hand to mouth* : vivre de la main à la bouche

Esp. *Estar a la cuarta pregunta* : en être à la quatrième question

Estar a dos velas : en être réduit à deux bougies

(**Argentine**) *Andar cortando alambres con el culo* : couper des fils de fer avec le cul

Ita. *Vivere di stenti* : vivre de misères (de privations)

Lliccari'a sarda : lécher la sardine (plus local pour la Sicile)

Née. *De eindjes niet aan elkaar kunnen knopen* : ne pas pouvoir joindre les deux bouts

Por. (**Brésil**) *Comero o pâo que o diabo amássou* : manger le pain que le diable a pétri

Rou. *A trage mâta de coada* : tirer le chat par la queue

(sans — ni tête)

Sens : absurde.

All. *Das hat weder Hand noch Fuss* : cela n'a ni main ni pied

Ang. *You can't make head or tail of it* : on ne peut distinguer la tête de la queue

Yeux (coûter les — de la tête)

Sens : être d'un prix exorbitant – coûter le lard du chat, disait-on autrefois dans nos campagnes… coûter « bonbon », de nos jours.

All. *Sündhaft teuer sein* : être cher comme un péché
Ang. *To cost an arm and a leg* : coûter un bras et une jambe.
To pay through the nose for that ! payer à travers le nez pour ça ! (les personnes souffrant d'anémie, au XVIIᵉ siècle, saignaient fréquemment du nez – métaphoriquement, saigner de l'argent par le nez, c'est en débourser beaucoup trop)
To pay a pretty penny ! débourser plus d'un penny
Bel. *Coûter un pont*
Esp. *Costar un ojo de la cara* : coûter un œil du visage
Costar un huevo : coûter un œuf (lequel peut aussi désigner un testicule)
Gre. *Tès panagias ta matia* : ça coûte (même) les yeux de la Sainte Vierge
Kostizi ta mallia tis kefalis : ça coûte les cheveux de la tête

Ne pas y aller
par quatre chemins
(les chiffres)

Une pierre (faire d'— deux coups)

Sens : faire coup double.

All. *Zwei Fliegen mit einer Klappe schlagen* : tuer deux mouches avec une seule tapette

Ang. *To kill two birds with one stone* : tuer deux oiseaux avec une seule pierre

Esp. *Matar dos pájaros de un tiro* : tuer deux oiseaux d'un coup de feu

Ita. *Prendere due piccioni con una fava* : prendre deux pigeons avec une même fève

Fare un viaggio e due servizi : faire un voyage et deux services

Née. *Twee vliegen in één klap slaan* : abattre deux mouches d'un coup

Pol. *Upiec dwie pieczenie przy jedrym ogniu* : cuire deux rôtis à un seul feu

Trois (quatre) pelés et un tondu

Sens : très peu de monde dans une même assemblée.

Ang *There was one man and his dog* : il y avait un homme et son chien

Chi. *Ni trois ni quatre*

Esp. *Sólo había cuatro gatos* : il n'y avait que quatre chats

Ita. *Vi erano solo quattro gatti* : il n'y avait que quatre chats

Née. *Anderhalve man en een paardenkop* : un homme et demi et la tête d'un cheval

Quatre (manger comme)

Sens : dévorer sans compter.

All. *Fressen wie ein Scheunendrescher* : manger comme une moissonneuse-batteuse

Ang. *To eat like a horse/a pig* : manger comme un cheval/un cochon

To stuff oneself : se goinfrer, s'empiffrer

Bel. *Magnî comme on râyeux* : manger comme un arracheur (de pommes de terre)

Esp. *Comer más que un gusano de seda* : manger plus qu'un ver à soie

Comer a dos carrillos : manger avec les deux joues

Comer como si tuviera la tripa rota : manger comme s'il avait les tripes perforées

Gre. *Troo gia deka* : je mange pour dix

Née. *Eten (vreten) alse en dijker* : manger comme un ouvrier chargé de l'entretien de la digue

Leehol kmo hazir : manger comme un porc

Tun. *Yékol kif el ghoul* : manger comme un ghoul (démon du folklore arabe)

Bref, de quoi « être cassé comme un Roumain » !

(couper les cheveux en)

Sens : pécher par excès de zèle, chicaner, ergoter.

All. *Ein Korinthenkacker* : un type qui chie des raisins de Corinthe

Ang. *Hair-splitting* : fendre les cheveux en quatre

Bel. *Compter les peus é l'sope* : compter les pois dans la soupe

Esp. *Buscarle tres pies al gato* : chercher les trois pieds d'un chat

(ne pas y aller par — chemins)

Sens : c'est aller droit au but, parler franchement.

All. *Kein Blatt vor den Mund nehmen* : ne pas mettre

une feuille devant la bouche

Ang. *Not to mince one's words* : ne pas mâcher ses mots
     To get straight to the point : en venir au fait

Esp. *No andarse por las ramás, ir al grano* : ne pas se perdre dans les branches mais aller au grain de blé

Gre. *Beno kaefthian sto thema* : j'entre directement dans le sujet

Ita. *Andare per le spicce* : y aller de manière expéditive
     Andare diritto allo scopo : aller droit au but

(être tiré à — épingles)

Sens : être habillé avec un soin méticuleux. De fait, on appelait « épingle », jusque vers le XVᵉ siècle, l'argent de poche que les femmes mettaient de côté pour leurs emplettes et menus frais (parfums, habits, etc.).

All. *Wie aus dem Ei gepellt sein* : être comme si l'on sortait d'une coquille d'œuf (pelé)

Gre. *Ime ntimenos stin penna* : je suis habillé à la plume

Rou. *Imbracat la patru ace* : habillé à quatre aiguilles

Septième (être/monter au — ciel)

Sens : être au comble du bonheur, aux anges ; s'envoyer en l'air.

All. *Im siebten Himmel sein* : être au septième ciel

Ang. *To be on cloud nine* : être sur le neuvième nuage

To walk on air : marcher sur l'air

To be over the moon : être au-dessus de la lune

As happy as a clam at high tide : heureux comme une palourde à marée haute

Bre. (breton) *En e bemp plijaden àrn ugent* : être dans ses vingt-cinq plaisirs

Esp. (Catalogne) *Estar més content que un ginjal* : être plus content qu'un jujube (fruit)

Estar en la gloria : être dans la gloire du ciel

Gre. *Naviguer dans des mers de bonheur*

Slo. *Être heureux comme un cochon dans le seigle*

Quatorze (chercher midi à — heures)

Sens : faire des complications inutiles. D'après Quitard et Richelet, la locution s'explique d'après la manière de compter les heures en Italie et en France au XVe siècle. On disait encore : chercher midi à onze heures.

Ang. *To run a wild goose chase* : aller à la chasse à l'oie sauvage

Bel. (Wallonie) *Aller quérir saint Pierre à Rome* : aller chercher saint Pierre à Rome

Esp. *Buscarle tres/cinco pies/patas al gato* : chercher trois/ cinq pieds/pattes au chat

Ita. *Cercare il nodo nel giunco* : chercher le nœud dans le jonc
Cercare il pelo nell' uovo : chercher le poil dans l'œuf
Cercare cinque piedi al montone : chercher cinq pieds au mouton

Lat. *In scirpo nodum quaerere* : chercher le nœud dans un jonc

Pol. *Szudac dziury w calym* : aller chercher des trous dans le tout

Trente et un (se mettre sur son)

Sens : revêtir ses plus beaux habits ou atours, tous les deux mois, donc rarement, dans les grandes occasions. Se mettre sur son « trentain », d'où trente et un, par déformation de prononciation : le trentain désignant un drap luxueux. À moins qu'il ne s'agisse d'une allusion à un jeu de cartes où le chiffre trente et un assurait le point gagnant.

All. *Sich in Schale werfen* : se mettre/jeter en écorce/ peau de fruit ou de légume
Geschniegelt und gebügelt sein : être attifé et repassé

Ang. *To be dressed up to the nines* : s'habiller à la mode du neuf. Les avis divergent quant à l'origine de cette expression anglaise : ce serait la corruption du français « habits neufs » ; il fallait au tailleur neuf yards de tissu (8,20 m) pour fabriquer un smoking ; neuf était le nombre de la perfection.

Esp. *Estar vestido de punta en blanco* : être de la pointe/ du bout en blanc
Ponerse de tiros largos : être en grand tralala

Ita. *In ghingheri* : en grande toilette

Per. (persan) *Adame asa ghoort dadeh* : personne qui a avalé un bâton

Tout le contraire, en somme, d'être « habillé comme un dîner de chien » (expression anglaise, *to be dressed up like a dog's dinner*) – *comme un as de pique,* en bon français !

Trente-trois (dites...)

Sens : un mot d'auscultation dans l'ancienne médecine. Il s'agissait de sentir, via les mains ou les oreilles, la transmission des vibrations vocales, pour évaluer, avant l'époque du stéthoscope, la qualité des tissus du poumon.

All. *Sag mal « Aaaa »* : dis « ah », pour voir

Ang. *Say ninety nine* : dites quatre-vingt-dix-neuf

Esp. *Diga treinta y tres* : dites trente-trois
Gre. *Iotan ston giatro kanis…* aaaaa
Autre requête, dans un cadre plus agréable, au moment
de prendre quelqu'un en photo…*Say « cheese »*, en anglais
(dites « fromage ») : dites « ouistiti ».

Trente-sixième (être au — dessous)
Sens : être très déprimé, broyer du noir.

All. *Auf den Hund gekommen sein* : en être arrivé au chien
(au Moyen Âge, on déposait l'argent du ménage
dans une bassine, au fond de laquelle était représenté
un chien – quand on voyait le chien, c'est que tout
l'argent avait été dépensé)
Ang. *To be down in the dumps* : au fond de la décharge
To hit rock bottom : toucher le fond (de la piscine ?)
To be washed out : être lessivé
Ita. *Essere mal ridotti* : en être réduit à un mauvais état
Née. *Niet meer Kunen* : n'en plus pouvoir

Trente-six chandelles (voir)
Sens : être étourdi, sonné.

All. *Die Engel singen hören* : entendre chanter les anges

Ang. *To see stars* : voir les étoiles

Esp. *Ver las estrellas* : voir les étoiles

Gre. *Blepo ton ourano me ta astra* : je vois le ciel avec les étoiles

Quarante (s'en moquer comme de l'an)

Sens : considérer une chose ou un événement comme sans importance et en sourire.

Rien à voir avec un quelconque an quarante de notre ère. Il s'agirait plutôt de l'an quarante d'un hypothétique calendrier républicain, date qui, selon les royalistes, n'arriverait jamais.

Autre hypothèse : la fin du monde aurait été prévue pour l'an 1040. Cette date fatale passée, les gens se moquèrent de leurs anciennes angoisses. Dans l'esprit, l'expression en rappelle une autre, en usage chez les croisés : *s'en moquer comme de l'Alcoran,* soit comme de la lecture… du Coran. Plus très religieusement correct…

All. *Das ist mir doch ganz Wurst* : c'est saucisse pour moi

Ang. *I don't care two hoots* : il m'est égal qu'on me siffle ou qu'on me hue

It's no skin off my nose : ce n'est pas une peau qui

vient de mon nez

Esp. *Me importa un comino :* je m'en fiche comme d'un grain de cumin

Importale a uno un bledo/un pepino : être important comme une blette/un concombre

Ita. *Non me ne importa un accidente :* cela ne m'importe en rien

Gre. *Skasila mou megali- den mou kegete karfi :* je n'ai pas de clou qui soit brûlé

Bref, s'en moquer royalement, éperdument, comme de sa première chemise !

Quatre cents coups (faire les)

Sens : vivre sans respecter la morale et les convenances. En 1621, la ville de Montauban fut bombardée de 400 coups de canon, pour contraindre les habitants à renoncer au protestantisme, mais ils ne se rendirent pas.

All. *Sich austoben :* faire les fous jusqu'à plus soif

Die Sau rauslassen : faire sortir la truie (qui est en soi !)

Ang. *To lead a wild life / To have a wild time :* mener une vie tumultueuse, tapageuse

To paint the town red : peindre la ville en rouge

Esp. *Hacer las mil y una* : faire mille et une…
Hacer barrabasadas : faire des choses barbares
Llevar una vida disipada : mener une vie dissipée

Ita. *Farne di tutti i colori* : en faire de toutes les couleurs (en combiner de toutes les couleurs, en combiner de vertes et de pas mûres)

Mille (mettre dans le)

Sens : viser le cœur de la cible.

All. *Ins Schwarze treffen* : taper dans le noir
Ang. *To hit a nail on the head* : taper en plein sur la tête du clou
To hit the bull's eye : frapper l'œil du taureau ✳
Esp. *Dar en el clavo* : taper dans le clou
Dar en el blanco : taper dans la cible (blanche)
Ita. *Fare centro* : taper au centre
Por. (Brésil) *Acertar na mosca* : tirer droit sur la mouche
Rou. *Punct ochit, punct lovit* : point miré, point frappé
Faire mouche, quoi !

✳ le centre de la cible

Prendre des vessies pour des lanternes
(les objets, les choses)

Bateau (mener quelqu'un en)
Sens : c'est le tromper, le berner.

- **All.** *Jemandem einen Bären aufbinden* : attacher un ours sur quelqu'un
- **Ang.** *To lead somebody up the garden path* : faire passer par l'allée du jardin
- **Ita.** *Darla a bere a qualcuno* : faire boire (avaler) quelque chose à quelqu'un
- **Por.** *Enrolar (alguem)* : rouler quelqu'un
  Dar gato por liebre : faire prendre un chat au lieu d'un lièvre

Boîte (mettre quelqu'un en)
Sens : taquiner, se moquer de quelqu'un, lui faire la barbe !

- **All.** *Jemanden auf die Schippe nehmen / auf den Arm nehmen* : soulever quelqu'un avec une pelle / prendre quelqu'un sur son bras
- **Ang.** *Stop pulling my leg !* arrête de me tirer la jambe, de me faire marcher !

Esp. *Tomarle el pelo a uno* : prendre un poil / un cheveu à quelqu'un (se payer sa tête)

Tomarle el pelo a alguien : prendre les cheveux de quelqu'un

Ita. *Prendere in gito qualcuno* : prendre quelqu'un dans le tour (le taquiner)

Gre. *Pirazo- doulevo kapion* : je travaille quelqu'un

Née. *Iemand in de maling nemen* : prendre quelqu'un dans la mouture

Blanc bonnet et bonnet blanc

Sens : du pareil au même.

All. *Das ist gehüpft wie gesprungen* : c'est autant sautillé que sauté

Ang. *It's much of a muchness* : c'est beaucoup d'une grande quantité (de beaucoup)

It's the same : c'est du pareil au même

Esp. *Es tres cuartos de lo mismo* : c'est trois quarts du même

Tanto monta, monta tanto Isabel como Fernando : c'est égal (slogan des Rois Catholiques de Castille)

Lo mismo me da, que me da lo mismo : ça m'est égal ou égal ça m'est

Lo mismo da atrás que a las espaldas : c'est le même derrière que derrière

Olivo y aceituno todo es uno : l'olivier et l'huile d'olive ne font qu'un

Ita. *E'esattamente lo stesso* : c'est exactement la même chose

Se non è zuppa è pan bagnato : si ce n'est pas de la soupe, c'est du pain trempé !

Rou. *E aceeaşi Mărie cu altă pălărie* : c'est la même Marie avec un autre chapeau

Tun. *Haj Moussa, Moussa l'haj* : le pèlerin Moïse, Moïse le pélerin

Clou (ça na vaut pas un)

Sens : Ça ne vaut rien… pas tripette, pas un pet de lapin, pas un radis, pas des nèfles ni même des prunes… rien, vous dis-je !

All. *Das ist Keinen Pfifferling wert* : ça ne vaut pas une girolle/une chanterelle

L'expression française « ça ne vaut pas un fifrelin » serait la traduction de l'allemand. Très vite le terme « fifre » s'est substitué à fifrelin. On le retrouve en composition dans le terme employé pour désigner un subalterne : un sous-fifre.

Ang. *It's not worth a bean* : ça ne vaut pas un haricot
   It's not worth a penny : ça ne vaut pas un penny
Esp. *No valer un comino* : ne pas valoir un (brin de) cumin
Ita. *Non vale un fico secco* : ça ne vaut pas une figue sèche
   Non vale una sicca : ça ne vaut pas un mégot
Rou. *Face cât o ceapă degerată* : ça vaut un oignon pelé

Couteaux (être à — tirés)

Sens : au XVIIᵉ siècle, époque de duels, on disait « être aux épées et aux couteaux ». Serait-ce que les mœurs n'ont pas évolué ? On continue à désigner ainsi une relation hostile avec quelqu'un.

All. *Sich spinnefeind sein* : être hostile à soi comme une araignée
   Auf Kriegsfuss sein : être sur le pied de guerre
Ang. *To be at daggers drawn* : être à dagues tirées
Bel. *S'entendre comme Chiroux et Grignoux* (partisans et adversaires du prince, à Liège au XVIIᵉ siècle)
Esp. *Estar con la escopeta cargada* : être avec le fusil chargé
   Estar a matar con alguien : être et tuer quelqu'un, en vouloir à mort à quelqu'un
   (Catalogne) *Estar a cara de gos* : être à face de chien
Gre. *Sta makairia* : aux couteaux

Ita. *Ai ferri corti* : à fers courts
     Sic Essiri Bastian cuntrariu : être toujours contraire
     tout comme Bastien (personnage d'opposant par
     excellence)

Née. *Vara som hund och katt* : comme chien et chat

Tun. *Ki el far wel kattous* : comme la souris et le chat…
Tom and Jerry, en somme !

Draps (être dans de beaux)

Sens : par antiphrase pour dire « être dans le pétrin »,
« la mouise », « de sales draps ».

All. *In der Tinte sitzen* : être assis dans l'encre
     In einer schönen Patsche sein : être dans une belle
     gadoue
     In Teufels Küche kommen : entrer dans la cuisine du
     diable

D'autres tournent autour du pot :

Ang. *To be in a fix* : être dans l'embarras (en tout cas
     surtout pas to be in nice sheets)
     That's a pretty/fine kettle of fish : c'est là une belle
     marmite de poisson (ironique)

Esp. *Estamos aviados/frescos* : nous voilà propres/frais !

Gre. *Tin exo aschima – exo ta chalia mou* : je l'ai mal

Ita. *Trovarsi in cattive acque* : se trouver dans de mauvaises eaux

Née. *In de puree zitten* : être dans la purée

Four et au moulin (être au)

Sens : être au four et au moulin, c'est se trouver dans deux endroits différents à faire des choses différentes. Comment est-ce possible ?

All. *Man Kann nicht auf zwei Hochzeiten tanzen* : on ne peut danser à deux noces à la fois

Ang. *Not to have got two pairs of hands* : on ne peut pas avoir deux paires de mains

Ara. *Mé innajemch yahleb wa ichedd el mahleb* : il ne peut traire et tenir le seau de lait

Bel. *On n' pout nin flûter et tabourer* : on ne peut jouer de la flûte et battre le tambour

Esp. *Estar en misa y repicando* : être à la messe et en train de sonner les cloches (en bas à suivre le culte ou en haut à faire tinter les cloches pour inviter les fidèles à l'office)

Gre. *Dio karpousia den choroun se mia máschali* : deux pastèques ne peuvent pas tenir sous une aisselle

Plus sportif et frimeur est sans conteste l'italien :

Ita. *Tenere il pieds in due staffe* : mettre le pied dans deux étriers

(L')Habit ne fait pas le moine

Sens : ne pas se fier aux apparences.

All. *Kleider machen Leute* : les habits font les gens (ironique)
Es ist nicht alles Gold was glänzt : tout ce qui brille n'est pas d'or
Ang. *Don't judge a book by its cover* : ne jugez pas un livre à sa couverture
Esp. *El hábito no hace al monje* : l'habit ne fait pas le moine
Lat. *Barba non facit philosophum* : la barbe ne fait pas le philosophe
Cucullus non facit monachum : le capuchon ne fait pas le moine

Manche (jeter le — après la cognée)

Sens : perdre courage et renoncer.

All. *Die Flinte ins Korn werfen* : jeter le fusil dans le champ de blé

Ang. *To throw in the towel* : jeter la serviette (l'éponge, en bon français)

To throw in one's hand : jeter les cartes en main (au poker)

Esp. *Echar la soga tras el caldero* : jeter la corde après le chaudron

Tirar la toalla : jeter la serviette

Ita. *Piantare baracca e burattini* : planter là baraque et marionnettes

Gettare il manico dietro la scure : jeter le manche après la hache

Manches (c'est une autre paire de)

Sens : c'est tout à fait autre chose, c'est une autre histoire… Datant de 1611, l'expression fait allusion au fait qu'au Moyen Âge on se protégeait le bras, du coude au poignet, par des demi-manches amovibles. Cette pratique permettait aussi selon son activité de varier ses effets, et ce, à moindre coût.

All. *Das ist ein Kapitel für sich* : c'est un chapitre à part

Ang. *That's a horse of a different colour* : c'est un cheval d'une autre couleur

That's another kettle of fish : c'est une autre marmite de poisson

Esp. *Es harina de otro costal* : c'est la farine d'un autre sac

Les pays de l'Est optent pour des références culinaires :

Hon. *Ez más tal teszta* : c'est un autre plat de nouilles

Ez más kaposzta : c'est un autre chou

Rou. *Asta i alta mancare de peste* : c'est un autre plat de poisson

Slo. *To je uz ina kava* : c'est un autre café

Marteau (être entre le — et l'enclume)

Sens : se trouver pris (en étau) entre deux situations également désagréables.

All. *Zwischen Baum und Borke sitzen* : être assis entre l'arbre et l'écorce

Ang. *To be between the devil and the deep blue sea* : être entre le « diable » et la profonde mer bleue (sachant que le « diable » désignait, au temps de la marine à voile, une pièce de bois inaccessible, en lisière de la gouttière du pont d'un navire)

To be caught between a rock and a hard place : être pris entre un rocher et un endroit dur

Esp. *Estar entre la espada y la pared* : se trouver entre l'épée et le mur

Lat. *Stare inter sacrum saxumque* : être entre la victime et la pierre tranchante

Mettre le doigt entre l'arbre et l'écorce, comme au Canada.

Pipe (casser sa)

Sens : mourir, passer de vie à trépas. Être mort, se dira manger les pissenlits par la racine.

All. *Ins Gras beissen* : mordre l'herbe

    Den Löffel abgeben : rendre la cuiller

Ang. *To push up daisies* : pousser les marguerites vers le haut (confer les pissenlits français)

    To kick the bucket : donner des coups de pied sur le gibet (auquel les animaux étaient pendus, la tête en bas, lors de l'équarrissage)

Esp. *Estirar la pata* : étirer la patte

    Estar criando malvas : faire pousser des mauves

Gre. *Ta tinazo* : j'explose

Ita. *Tirare le cuoia* : étirer la peau (le cuir)

Née. *Van de hak op de tak springen* : sauter du talon sur la branche

    De pijp aan Maaeten geven : donner la pipe à Martin

Onder de groene zoden liggen : être couché sous les mottes vertes

Por. *Esticar o pernil* : tendre le jarret

Comer grana pela raiz : manger de la pelouse par la racine

Tun. *Blaa essberka/sabbatou* : il a avalé le balai/ses chaussures

Blaa el békita : il a avalé sa canne

Viet. *Di ban muôi* : aller vendre le sel

Passer l'arme à gauche, changer de monde, *jouer dans la boîte*, dit-on en russe.

Faire ses trois tours, entend-on dans le Nord. Dernière prestidigitation, et la comédie s'achève !

Plâtres (essuyer les)

Sens : occuper une habitation qui vient à peine d'être achevée. Faire les frais d'un nouvel état de choses.

All. *Es ausbaden müssen* : devoir prendre un bain pour quelque chose à la place d'un autre

Ang. *Teething problems* : douleurs de l'enfant qui « fait ses dents »/problèmes liés au fait de réaliser les choses pour la première fois

Esp. *Pagar la novatada* : payer le bizutage / la brimade

Pagar el pato : payer le canard
Ita. *Farne le spese* : en faire les frais

Pommade (passer de la — à quelqu'un)

Sens : faire mine de complimenter quelqu'un, l'encenser pour obtenir quelque chose de lui.

All. *Jemandem Honig ums Maul schmieren* : passer du miel autour de la bouche de quelqu'un
Ang. *To butter somebody up* : prodiguer des compliments comme on étale le beurre
To soft-soap : passer un doux savon
Esp. *Dar jabón a alguien* : passer du savon à quelqu'un
Gre. *Glifo kapion - ton kolakevo* : je lèche quelqu'un
Ita. *Lisciare qualcuno* : lisser, polir, flatter quelqu'un
Très mielleux, tout ça !

Pot (tourner autour du)

Sens : multiplier les détours par peur d'en venir au fait.

All. *Wie die Katze um den heissen Brei gehen* : tourner comme un chat autour de la bouillie chaude (pâtée brûlante)

Ang. *To beat about the bush* : frapper tout autour du buisson

Esp. *Andarse por las ramas* : aller au travers des branches
Andarse con rodeos : y aller par des détours

Ita. *Menare il can per l'aia* : mener le chien dans la cour de la ferme

(être sourd comme un)

Sens : ne rien entendre.

All. *Stocktaub sein* : être sourd comme un bâton/une canne

Ang. *To be deaf as a post* : être sourd comme un poteau

Esp. *Estar sordo como una tapia* : être sourd comme un mur (de terre)

Ita. *Essere sordo come una campana* : être sourd comme une cloche

À Marseille, on dit : *être sourd comme un toupin* (plat en terre cuite avec anse) !

(avoir du)

Sens : avoir de la chance, être né sous une bonne étoile ! Avoir la baraka ! Le mot en arabe veut d'ailleurs dire « bénédiction » – le président Obama en sait quelque chose, puisque son premier prénom est Barack.

All. *Ein Glückspilz sein* : être le champignon du bonheur
   Schwein haben : avoir du cochon
Ita. *Avere un culo della Madonna* : avoir un cul de
   Madone (avoir un sacré cul !)
Rou. *Afi plen de norac ca caïnele de purici* : être plein de
   charme comme le chien, de puces
Tun. *Aandou/Aand'ha ez'har* : il/elle a de la fleur d'oranger
   En provencal, on dira : *avoir le cul bordé d'anchois* (avoir
   le cul bordé de nouilles).
   With a little bit, with a little bit, with a little bit of luck…
   you'll never work : « Avec un peu, un peu, un peu de
   chance, quelqu'un fera le boulot à votre place », chante le
   père d'Eliza Doolittle dans le film de George Cukor
   My Fair Lady.

Poudre (ne pas avoir inventé la)

Sens : être naïf, voire borné.

All. *Nicht das Schiesspulver erfunden haben* : ne pas
   avoir trouvé la poudre
   Nicht bis drei zählen können : ne pas savoir compter jusqu'à trois
Ang. *To be no genius :* ne pas être un génie

Not to have invented the wheel : ne pas avoir inventé la roue

Never set the Thames on fire : ne jamais mettre le feu à la Tamise

Can. *Ne pas avoir inventé le spring (bond) aux sauterelles*

Esp. *Ser más tonto que Perico el de los palotes* : être plus bête que Pierrot, celui qui utilise les baguettes de tambour

Hon. *Nem o talalta fel a spanyol viaszt* : ce n'est pas lui qui a inventé la cire espagnole

Ita. *Non avere inventato l'acqua calda/tiepida* : ne pas avoir inventé l'eau chaude/tiède

Née. *Han nhar ikke opfundet den dybe tallerken* : il n'a pas inventé l'assiette creuse

Rou. *Edestept ca oeia* : il est intelligent comme un mouton

Rouleau (être au bout du)

Sens : n'en plus pouvoir, être à bout de forces !

Ang. *To be at the end of one's tether* : être au bout de la longe

Ita. *Essere alla frutta* : être aux fruits (pour dire à la fin du repas)

Essere agli sgoccioli : être aux dernières gouttelettes

Gre. *Eftasa sto amin* : j'en suis arrivé à « amen »

Née. *Aan het eind van zijn Latijn* : être au bout de son latin
Tun. *Tah bih esseloum* : l'échelle est tombée (lui avec)
   Yemchi aajounta : il roule sur la jante (et lui avec !)

Savon (passer un — à quelqu'un)

Sens : réprimander quelqu'un.

All. *Jemandem den Kopf waschen* : laver la tête à
   quelqu'un
Ang. *To give someone the rough side of one's tongue* : don-
   ner à quelqu'un le côté râpeux de la langue
Esp. *Echar una bronca* : jeter une engueulade
Gre. *Ta pselno se kepion* : je chante des hymnes à quelqu'un
Ita. *Dare una lavata di capo* : faire un lavage de tête
Pol. *Natrzec komus uszu* : frotter les oreilles à quelqu'un

Vessies (prendre des — pour des lanternes)

Sens : commettre une grossière méprise.

All. *Jemandem ein X für ein U vormachen* : faire pren-
   dre un X pour un U
Ang. *To pull the wool over the eyes* : tirer la laine sur les yeux
   To think the moon is made of green cheese : penser

que la lune est faite de fromage vert

Chi. *Yu muhunzhu* : faire prendre un œil de poisson pour une perle

Esp. *Confundir Roma con Santiago* : confondre Rome et Santiago

Confundir la gimnasia con la magnesia : confondre la gymnastique avec la magnésie (poudre purgative)

Confundir el tocino con la velocidad : confondre le lard avec la vitesse

Confundir las churas con las merinas : confondre les jarres avec des mérinos (deux variétés de brebis)

Gre. *Mou poulane fikia gia metaksotes koedelles* : il me vend des algues pour des rubans de soie

Ita. *Prendere lucciole per lanterne* : prendre des lucioles pour des lanternes

Née. *Knollen voor citroenen verkopen* : vendre des navets pour des citrons

Mi-figue, mi-raisin
(la nature et ses lois)

Bois (faire un chèque en)

Sens : c'est faire à quelqu'un un chèque non approvisionné.

Ang. *A rubber cheque* : un chèque en caoutchouc
A bad/dud cheque : un mauvais chèque / un chèque
qui a raté
Esp. *Cheque en blanco / sin fondos* : chèque en blanc /
sans provisions
Ita. *Un assegno a vuoto* : (faire) un chèque vide, sans
provisions
Née. *En gummicheck* : en caoutchouc
Por. (Brésil) *Um cheque voador* : un chèque volant
Attention : tout chèque impayé entraînera des agios…
Et cet emprunt à l'italien est de notoriété mondiale !

Bouquet (c'est le)

Sens : le comble ! Le *top*, anglicisme oblige !

All. *Das ist der Gipfel !* c'est le sommet !
Das schlägt dem Fass den Boden aus ! cela fait
sauter le fond du tonneau !

Ang. *That takes the biscuit/cake !* à lui le biscuit/gâteau !
That tops it all ! ça dépasse tout !

Esp. *Es el colmo !* c'est un comble !
Lo que faltaba ! Il ne manquait que ça !

Ita. *Ci mancava solo questo/quello !* il ne manquait plus que ça !

Charbons ardents (être sur des)

Sens : être dans l'urgence, dans l'inquiétude, dans l'impatience…

All. *Auf glühendens Kohlen sitzen* : être assis sur des charbons ardents

Ang. *To be on tenterhooks* : être pendu aux crochets qui servaient à étendre la peau sur les métiers à sécher/tisser la laine

Esp. *Estar en ascuas* : être sur les braises
(**Argentine**) *Estar en el horno* : être au four

Ita. *Stare (tenere qualcuno) sulle spine* : être (tenir quelqu'un) sur les épines

De vrais supplices de Tantale en tout cas !

Cerise (mettre la — sur le gâteau)

Sens : apporter le point final, la dernière touche à la réalisation de quelque chose.

All. *Das Tüpfelchen auf dem i* : le petit point sur le i
Ang. *It is the icing on the cake* : c'est le glaçage sur le gâteau
Esp. *Es la guinda en la tarta* : c'est la griotte sur la tarte
Ita. *La ciliegina sulla torta* : la cerise sur le gâteau
Tun. *Elli keletlehom ossktou* : celle qui leur a dit : « Taisez-vous ! »

Beau point d'orgue, ma foi !

Chou (faire — blanc)

Sens : échouer.

All. *Etwas in den Sand setzen* : poser une affaire dans le sable
    Der Schuss ging daneben : le coup est passé à côté
Ang. *To draw a blank* : avoir un « trou » de mémoire ; passer à côté
Can. *Faire patate*
Esp. *Errar el tiro* : manquer le tir
    Fracasar : échouer, rater
Gre. *Apotinchano-tin patao* : j'ai marché dessus

Ita. *Fare un buco nell' acqua* : faire un trou dans l'eau
Un proverbe en espéranto, *Celis anseron, trafis paseron* :
il visait une oie, il a atteint un moineau.

(une feuille de)
Sens : désigne métaphoriquement un journal de peu de
valeur.

All. *Käseblatt* : une feuille de fromage
Ang. *Rag* : un chiffon
Esp. *Periodicucho* : un périodique
Ita. *Giornaletto locale* : un petit journal local

Ciel et terre (remuer)
Sens : faire appel à tous les moyens pour réussir quelque chose ; ne rien négliger.

All. *Alle Hebel in Bewegung setzen* : actionner tous les
      leviers (toutes les manettes)
Ang. *To leave no stone unturned* : retourner la moindre
      pierre
Esp. *Remover Roma con Santiago* : remuer Rome et

Saint-Jacques-de-Compostelle, les deux épicentres de la
chrétienté européenne, l'Italie et l'Espagne
Tâche titanesque, s'il en est, quel que soit le pays !

Coton (c'est)

Sens : c'est difficile. D'origine plutôt argotique, cette
expression s'explique, à l'origine, par la pénibilité du travail dans les filatures du XIXᵉ siècle, avant de s'étendre à
toute tâche ou activité ardue.

All. *Das ist kein Zuckerschlecken* : ce n'est pas comme
    sucer du sucre

Ang. *It's a tough nut to crack* : c'est une noix dure à casser
    It's tricky : c'est compliqué

Bel. *C'tenne mer à boire* : c'est une mer à boire
    L'diele à k'fesser : le diable à confesser

Esp. *No ser moco de pavo* : ne pas être de la morve de
    dindon

Gre. *Den einai paize gelase* : ce n'est pas joué et risible

Ita. *Tutt' altro che facile questo problema !* c'est tout sauf
    facile (ce problème) !

Bref, ce n'est pas du gâteau ! C'est pas de la tarte ! Ce n'est
donc vraiment pas « une fleur à l'oreille », traduction
littérale du roumain : *e floare la ureche !*

Eau (il y a de l'— dans le gaz)

Sens : il y a de la dispute dans l'air.

All. *Da ist die Kacke am Dampfen* : la merde est en train de bouillir

Ang. *A trouble is brewing* : un ennui se brasse (se prépare)

Ita. *Si prepara il maltempo* : le mauvais temps arrive

Rou. *A pune gaz pefoc* : mettre du gaz dans le feu

(Mi-)Figue (mi-)raisin (être)

Sens : mélange de satisfaction et de mécontentement ; ambigu, mitigé.

All. *Süss-säuerlich* : aigre-doux

     Mit einem lachenden und einem weinenden Auge : avoir un œil qui rit et un autre qui pleure

     Weder Fisch noch Fleisch : ni tout à fait poisson ni viande

Ang. *Half in jest, half in earnest* : moitié plaisant, moitié sérieux

     Neither fish nor fowl : ni poisson ni gibier

Esp. *No es ni chicha ni limonada* : être ni chair ni « citronnade »

Ita. *Tra il serio e il faceto* : entre sérieux et facétieux

Fraise (ramener sa)

Sens : tirer la couverture à soi, en toute occasion (familier).

Ang. *To shove one's oar in* : « fourguer » sa rame

Esp. *Nadie te ha dado vela en este entierro* : personne ne t'a donné un cierge dans cet enterrement

Ita. *Metterci una pezza* : y mettre une pièce de tissu, trouver un remède pour recoller les morceaux
Fare lo smargiasso : faire le fanfaron

Frite (avoir la)

Sens : être en super forme, avoir une sacrée pêche (familier).

All. *In Bombenform sein* : tenir une forme de bombe (explosive !)

Ang. *To be full of beans* : être plein de haricots

Esp. *Estar en forma* : être en forme

Ita. *Essere su di morale* : avoir le moral
(Sicile) *Sintìrisi 'n liuni* : se sentir un lion

Fromage (faire tout un)

Sens : faire toute une histoire de/pour pas grand-chose.
Cela aurait-il quelque chose à voir avec la fable de La
Fontaine *Le Corbeau et le Renard* ?

All. *Aus einem Furz einen Donnerschlag machen* : faire
un coup de tonnerre d'un pet
Aus einer Mücke einen Elefanten machen : faire d'une
mouche un éléphant
(*Viel Lärm um nichts* : beaucoup de bruit pour rien !)

Ang. *To make a storm in a tea-cup* : faire une tempête
dans une tasse de thé
To make a song and dance about something : faire
une chanson et une danse à propos de quelque chose

Esp. *Montar un cirio* : (faire) monter un cierge

Gre. *Pnigome se mia Kontalia nero* : se noyer dans une
petite cuillère

Née. *Van eeg mug en olifant maken* : faire un éléphant
d'un moustique

Sué. *Faire un oiseau d'une plume*

Tun. *Men habba yebni kobba* : d'une graine, il construit
une voûte

Goutte (d'eau qui fait déborder le vase)

Sens : le petit détail en trop…

All. *Das bringt das Fass zum Überlaufen* : ça fait déborder le tonneau

Ang. *That's the last straw (that breaks the camel's back)* : c'est le dernier brin de paille qui vient briser le dos du chameau

Esp. *Es la gota de agua que colma la medida* : c'est la goutte d'eau qui remplit à ras bord (dépasse) la mesure

(se ressembler comme deux — d'eau)

Sens : se ressembler. C'est lui tout craché !

Ang. *To be like two peas in a pod* : être comme deux petits pois dans une cosse

On connaît l'amour des Anglais pour les « gros » petits pois… pas ronds !

Esp. *Parecerse como un huevo a otro* : se ressembler comme un œuf à l'autre

Qui se ressemble s'assemble

Sens : être faits l'un pour l'autre ; avoir des affinités.

All. *Gleich und gleich gesellt sich gern* : même et même
s'associent bien (vont bien ensemble)

Ang. *Birds of a feather flock together* : les oiseaux ayant les
mêmes plumes volent de concert

Esp. *Dios los cría y ellos se juntan* : Dieu les fait naître et
ils se rapprochent

M... erde (être dans la)

Sens : se trouver dans une situation difficile et inextri-
cable à tous égards. Être dans la mouise, le besoin, la
panade... (familier).

All. *In der Tinte sitzen* : être assis dans l'encre
In der Patsche sitzen : être assis dans le bourbier
Bei mir ist Ebbe : c'est marée basse chez moi
Bei mir ist Flaute : c'est le calme plat (pas de vent
pour mon porte-monnaie)

Ang. *To be down and out* : être au plus bas et sans espoir
To be in the soup : être dans la soupe
To be in a (pretty) pickle : être dans la saumure
(marinade pour conserver les légumes)

What rotten luck ! quelle chance pourrie ! (quelle poisse ! quelle guigne !)

Esp. *Estar en un apuro* : être dans une situation difficile

Estar a dos velos : être à deux bougies

Estar a la cuarta pregunta : en être à la quatrième question

Ita. *Essere nei guai fino al collo* : être dans les ennuis jusqu'au cou

(**Sicile**) *Èssiri cc'u cùlu 'ntèrra* : avoir le cul par terre

Por. *Estar com uma mâo na frente e outra atrás* : être avec une main devant et l'autre derrière

Être dans la *mouscaille*, dira un méridional...

(dire — à quelqu'un)

Sens : c'est lui souhaiter, paradoxalement, « bonne chance » et ainsi conjurer le mauvais sort.

All. *Hals- und Beinbruch !* (je te souhaite) fracture du cou et des jambes

Ang. *Break a leg* : casse-toi une jambe

Ita. *In bocca al lupo* : dans la gueule du loup

Réponse : *Crepi il lupo* : qu'il crève le loup !

Montagne (s'en faire toute une)

Sens : se compliquer la vie et exagérer les difficultés.

All. *Jemand macht aus einer Mücke einen Elefanten* : se
faire un éléphant d'une simple mouche

Ang. *To make a mountain out of a molehill* : se faire une
montagne d'une taupinière

Esp. *Hacerse una montaña de algo* : se faire une montagne d'une chose

Ita. *Fare di una mosca un elefante* : faire d'une mouche
un éléphant

Oignons (pas mes)

Sens : ce ne sont pas mes/tes/ses oignons (affaires) ; cela
ne me/te/le regarde pas…

All. *Das ist nicht mein Bier* : ce n'est pas ma bière

Ang. *It's not my pigeon* : ce n'est pas mon pigeon

Esp. *No te metas donde no te llaman* : ne te mets pas où
on ne t'appelle pas

     Esto es lo tuyo : sois dans ce qui te concerne, ça ne
regarde que toi

Ita. *Non sono affari miei/tuoi/suoi* : ce ne sont pas mes/
tes/ses affaires

Impicciati dei fatti tuoi : mêle-toi de ce qui te regarde (implique-toi dans tes propres affaires)

Poire (se fendre la)

Sens : rire aux éclats (comme rire à se fendre la pêche, ou la pipe).

All. *Sich einen Ast lachen* : se rire une branche

Ang. *To laugh one's head off* : rire à s'en détacher la tête

To bust a gut : péter un boyau

Esp. *Reírse a carcajadas* : rire aux éclats

Reírse a mandíbula batiente : rire à mâchoire battante

Mondarse de risa : se tordre de rire, se gondoler

Ita. *Ridere a crepapelle* : rire à s'en fendre la peau (s'en faire éclater)

Rou. *A rade cu gura pana la urechi* : rire avec la bouche ouverte jusqu'aux oreilles

Rire à en avoir des crampes, au Canada.

Travailler pour le roi de Prusse
(les activités humaines)

Bâtons rompus (discuter/parler à)
Sens : parler librement, sans grande suite dans les propos.

- **All.** *Von diesem und von jenem sprechen* : parler d'une chose et d'une autre
- **Ang.** *To talk on about this and that* : parler à propos de ci ou ça

  To make casual conversation : tenir au hasard une conversation

  By fits and starts : par à-coups
- **Esp.** *Sin ton ni son* : sans ton ni son (sans rime ni raison)

  Sin orden ni concierto : sans ordre ni accord
- **Ita.** *A ruota libera* : en roue libre

  « À sauts et à gambades », aurait dit Montaigne.

Boucher un coin (en — à quelqu'un)
Sens : surprendre, laisser quelqu'un baba.

- **All.** *Ich glaub' mich tritt ein Pferd* : à croire qu'un cheval m'a donné un coup de sabot

Ang. *It left me floored* : ça m'a laissé à même le sol
I bet you're impressed : vous êtes à coup sûr impressionné

Esp. *Tirarle de espaldas a uno* : renverser, faire tomber sur le dos
Quitarle el hipo : ôter le hoquet, couper le sifflet

Ita. *Rimaner di stucco* : rester de plâtre

Casser du sucre sur le dos de quelqu'un

Sens : dire du mal de quelqu'un par-derrière, à son insu.

All. *Jemandem durch den Kakao ziehen* : traîner quelqu'un à travers le chocolat

Ang. *To run somebody down* : descendre quelqu'un de haut en bas, le rabaisser

Esp. *Cortar un traje a alguien* : tailler un costume à quelqu'un. Comme quand on dit « habiller quelqu'un pour l'hiver »…
Si se muerde la lengua se envenena : s'il se mord la langue, il s'empoisonne

Ita. *Tagliare le calze a qualcuno* : couper les bas (les chaussettes) à quelqu'un

Tun. *Taktyie ou térich laabéd* : déchirer et déplumer les gens

(Se) Casser — Casse-toi !

Sens : infaisable au demeurant, l'expression parle d'elle-même !

All. *Verdufte !* évapore-toi ! (expression désuète)
Verpiss dich ! compisse-toi ! (formulation actuelle, très crue)
Jemanden nach Buxtehude wünschen : envoyer quelqu'un à Buxtehude (ville de Basse-Saxe, près de Hambourg)

Ang. *Go to Halifax :* va à Halifax (ville du nord de l'Angleterre près de Bradford, dont le nom commence par un H, comme le mot Hell [enfer] : il s'agit donc d'un euphémisme)
Variantes : *Go to Hull*, autre ville du Nord
To send to Jericho : envoyer à Jéricho

Esp. *Largarte con viento fresco* : prends le large avec un vent frais

Gre. *Va aux corbeaux*

Ita. *Tagliare la corda* : couper la corde (se tailler)
Crepa : crève !

Rou. *Plimbă ursu' !* promène l'ours !

Charybde en Scylla (tomber de)

Sens : échapper à un malheur, mais pour en rencontrer un pire encore.

All. *Vom Regen in die Traufe kommen* : tomber de la pluie dans la gouttière

Ang. *To be out of a frying pan into the fire* : glisser de la poêle à frire dans le feu
From bad to worse : de mal en pis

Bul. *Des épines aux aubergines…*

Esp. *Salir de Guatemala y entrar en Guatepeor* : sortir du Guate*mala* (mal) et entrer en Guate*peor* (pire !)

Ita. *Cadere dalla padella nella brace* : tomber de la poêle dans la braise

Tun. *Mel katyra taht el mizeb* : de la fuite du plafond sous la descente d'eau de la gouttière

Viet. *Éviter peau de melon, rencontrer noix de coco*
Variante : *From Islamabad* (mal) *to Islamaworse* (pire) = (mauvais) jeu de mot pakistanais…

Châteaux (construire des — en Espagne)

Sens : construire des châteaux en Espagne, c'est écha-fauder des projets chimériques. Pouquoi en Espagne ? Les chevaliers – Don Quichotte ? – y recevaient en fiefs des châteaux qu'ils devaient au préalable attaquer et conquérir.

Bel unanimisme :
All. *Luftschlösser bauen* : construire des châteaux dans les airs
Ang. *To build castles in the air* : idem
Esp. *Hacer castillos en el aire* : idem
    (Catalogne) *Somiar truites* : des rêves d'omelette (aux œufs de truite)
Ita. *Fare castelli in aria* : construire des châteaux dans les airs
Née. *Luchtkastelen bouwen* : idem
Une exception :
Pol. *Budowac zamki na lodzie* : construire des châteaux sur la glace
Une variante (culinaire) plus appétissante :
Ang. *Its' pie in sky* : des tartes dans le ciel

Diable vauvert (aller/habiter au)

Sens : très loin, « au fond de l'inconnu », mais pas pour y trouver du nouveau ! Allusion à ce château de Vauvert (Val vert), ancien château du roi Robert le Pieux, devenu une véritable cour des miracles, et qui passait pour être hanté par le diable. On dit encore, par apocope, *au diable vert…* à tous les diables !

All. *Wo sich Fuchs und Hase Gute Nacht sagen* : là où le renard et le lièvre se disent « bonne nuit »
Hinter dem Mond : derrière la lune
Am Arsch der Welt wohnen : habiter dans le trou du cul du monde

Ang. *To live somewhere at the back of beyond* : habiter au fin fond de nulle part
To live out in the sticks : vivre au milieu des bâtons. On a longtemps cru que l'expression était une corruption du « Styx » des Romains, mais c'est faux.

Esp. *In los quintos infiernos* : dans le cinquième cercle de l'enfer

Ita. *Abitare a casa del diavolo* : habiter dans la maison du diable

Dormir debout (une histoire à)

Sens : un récit rocambolesque, incroyable, sans queue ni tête, ou présentant des propriétés soporifiques.

All. *Das geht auf keine Kuhhaut* : ça ne tient pas sur la peau d'une vache

Ang. *A cock and bull story* : une histoire de coq et de taureau
Esp. *Contar una milonga* : conter une milonga (chanson populaire)
Un cuento chino : un conte chinois
Es uña patraña : c'est un bobard (un mensonge)
Ita. *Una storia che non sta né in cielo né in terra* : c'est une histoire qui n'existe ni au ciel ni sur terre
Rou. *Asta e poveste de adormit copiii* : c'est une histoire à endormir les enfants
Asta e povestea cu cocoçul roçu : l'histoire du coq rouge !

(L') *Échapper belle*

Sens : se sortir in extremis, de justesse, d'une situation délicate. Ric-rac, quoi !

Ang. *To escape by the skin of one's teeth* : échapper par la peau de ses dents
Esp. *Librarse por los pelos* : échapper par les cheveux
Salvarse por un pelito/pelo : se sauver d'un petit poil/ d'un poil
Gre. *Ftina ti glitosa* : échapper à un danger sans être blessé
Ita. *L'ha scampata bella* : il l'a échappé belle, il revient de loin
Lib. *Zamat bi richo* : échapper avec ses plumes

Rou. *A scapa ca prin urechile acului* : échapper à travers
le chas de l'aiguille

Esprit d'escalier (avoir l')
Sens : manquer de repartie et d'à propos.

All. *Einen Treppenwitz machen* : faire une plaisanterie
d'escalier

Ang. *To think of a retort when it's too late* : penser à une
bonne réplique, quand c'est trop tard
Afterwit : trait d'esprit d'après coup

Esp. *Ser más corto que las mangas de un chaleco* : être
plus court que les manches d'un gilet

Gre. *Eho (ehi) makry fitili* : avoir la mèche (de mise à
feu) trop longue

Ita. *Ragionare col senno di poi* : raisonner après coup

Née. *Met de mond vol tanden staan* : rester la bouche
pleine de dents

Por. **(Brésil)** *Ter/ser faisca atrasada* : être/avoir une étin-
celle en retard

Faire (les jeux sont faits, faites vos jeux, etc.)

Sens : depuis Jules (César) et son *Alea jacta est*, le sort en est jeté.

All. *Die Würfel sind gefallen* : les dés sont jetés
Ang. *The die is cast :* les dés sont jetés
 (The chips are down : les jetons sont sur la table [au poker] = la situation est critique)
Esp. *La suerte esta echadá :* le sort en est jeté
Ita. *Il dado è tratto :* le dé est jeté
Née. *De Kogel is door de Kerk :* la balle est lancée au-dessus de l'église

Et le tour est joué ! En anglais : *And Bob is my uncle* !

Faire cuire un œuf (aller se)

Sens : envoyer promener (balader) quelqu'un. On dira encore : « Va voir là-bas, si j'y suis… »

Ang. *Go fly a kite* : va faire voler ton cerf-volant
 To send someone packing : envoyer quelqu'un faire ses bagages
 To go jump in the lake : aller sauter dans le lac
Bel. *Allez à l'aute porte, vous ârez in cantieau* : allez à

l'autre porte, vous aurez un morceau de pain

Esp. *Vete a freír espárragos* : va te faire frire des asperges

Ita. *Mandare al diavolo* : envoyer au diable

Por. *Pentear macacos* : envoyer quelqu'un peigner des singes

Va' ver se estou na esquina : allez voir si je suis au coin de la rue

Tun. *Yabaathou yaqdhi / yabaat'ha taqdhi* : il l'envoie faire des courses

Farine (rouler quelqu'un dans la)

Sens : le berner, le duper.

All. *Jemanden übers Ohr hauen* : taper quelqu'un par-dessus l'oreille

Ang. *To pull a fast one* : lâcher un pigeon (!) trop rapide (au ball-trap, au temps où les cibles étaient des oiseaux vivants)

Can. *Faire passer une épinette pour un sapin*

Esp. *Dar gato por liebre* : donner un chat à la place d'un lièvre

Llevar a alguien al huerto : porter quelqu'un au verger

Tomarle el pelo a alguien : prendre les cheveux à quelqu'un

Ita. *Abbindolare* : embobiner…

Mèche (être de — avec quelqu'un)

Sens : être de connivence avec lui.

All. *Unter einer Decke stecken* : être (caché) sous la même couverture que quelqu'un

Ang. *To be hand in glove with somebody* : être la main dans le gant avec quelqu'un

Esp. *Estar en el ajo* : être dans l'ail
Estar conchabado con alguien : être de connivence

Ita. *Essere in combutta con qualcuno* : être de la bande de quelqu'un

(vendre la)

Sens : révéler quelque chose qui devait rester secret. Faut-il remercier Pandore de l'avoir vendue ?

All. *Alles ausplaudern* : tout raconter

Ang. *To let the cat out of the bag* : faire sortir le chat du sac
To spill the beans : renverser les haricots

Esp. *Des tapar la olla* : enlever le couvercle, déboucher
la marmite

Irse de la lengua : faire aller la langue

Tun. *Issobb essabba* : il coule la dalle

Monnaie (rendre à quelqu'un la — de sa pièce)

Sens : rendre à quelqu'un la pareille, selon la loi du talion :
œil pour œil, dent pour dent. En plus poétique : la réponse
du berger à la bergère !

All. *Jemandem etwas mit gleicher Münze heimzahlen* :
faire payer quelque chose à quelqu'un avec la
même monnaie

Ang. *To give somebody a taste of his own medicine* : faire
goûter à quelqu'un son propre médicament

Esp. *Pagar a uno en/con la misma moneda* : payer quelqu'un
de la même monnaie

Ita. *Rendere a quacuno pan per focaccia* : rendre du pain
pour de la fougasse (galette)

Née. *Iemand een koekje van eigen deeg geven* : donner à
quelqu'un un gâteau de sa propre pâte

(payer quelqu'un en — de singe)

Sens : payer en fausse monnaie.

Ang. *To let someone whistle for his money* : laisser quelqu'un siffler pour son argent

Esp. *Pagar con buenas palabras / promesas vanas* : payer quelqu'un avec de bonnes paroles / des promesses vaines

P...isser dans un violon

Sens : faire quelque chose d'inutile ou d'inefficace ; perdre son temps.

Ang. *It's a bloody waste of time* : c'est une satanée perte de temps

It's like pissing into the wind : c'est comme pisser dans le vent (très familier)

To whistle in the wind : siffler dans le vent

Esp. *Ser como Juan y Manuela* : être comme Jean et Manuela

Trabajar en balde : travailler en vain

Gre. *Kano mia trupa sto nero* : faire un trou dans l'eau

Ita. *Fare un buco nell' acqua* : faire un trou dans l'eau

Isr. *Kmo kossot ru'ach l'met* : comme verres à ventouses pour un mort
Lat. *In aqua scribere* : écrire sur l'eau
Tun. *Ibii ferrih lel mrékeb* : il vend du vent aux bateaux

Rire jaune

Sens : « Pour ce que rire est le propre de l'homme », dit Rabelais. Ce rire jaune, pourtant, est un rire forcé, contraint ou contrit.

All. *Gezwungen/krampfhaft lachen* : rire forcé/constraint
Gute Miene zum bösen Spiel machen : afficher un air serein (face à un vilain jeu)
Ang. *To give a hollow (forced) laugh* : rire d'un rire creux (contraint)
To laugh on the other (wrong) side of one's face : rire de l'autre côté / du mauvais côté du visage
Esp. *Reir de dientes afuera* : rire du bout des dents
Reir con risa de conejo : rire comme un lapin
Ita. *Ridere a denti stretti* : rire (avec ses) dents serrées
Ridere verde : rire vert

Pour le rire, il en va comme du citron, vert ou jaune…

Trac (avoir le)

Sens : le mal des artistes, dit-on. Mais pas seulement…

All. *Lampenfieber haben* : avoir la fièvre des projecteurs
(au théâtre)

Ang. *To have butterflies in the stomach* : avoir des papillons dans l'estomac

Esp. *Ponerse nervioso* : devenir nerveux, crispé

Ita. *Avere fifa* : avoir la trouille

Rou. *A avea gargauni în cap* : avoir des guêpes dans la
tête

Travailler pour le roi de Prusse

Sens : travailler pour la gloire, des prunes, des clopinettes,
bref, pour rien.

All. *Für die Katze arbeiten* : travailler pour le chat

Ang. *To work for peanuts* : travailler pour des cacahuètes

Esp. *Trabajar para el obispo* : travailler pour un évêque

Ita. *Lavorare per la gloria* : travailler pour la gloire

Nor. *Jobbe for en slikk hog ingenting* : travailler pour un
coup de langue et rien du tout

Voile (être/marcher à — et à vapeur)

Sens : avoir la double orientation sexuelle.

All. *Zweigleisig fahren* : rouler sur deux rails

Ang. *To swing both ways* : balancer des deux côtés

   To be AC/DC : être sur courant alternatif et continu

Esp. *Ser ambidiestro* : être ambidextre

   Jugar a dos bandas : jouer à deux bandes

   Ser carne y pescado : être viande et poisson

   Funcionar a pelo y a plumás : fonctionner à poil et à plumes

   Funcionar a gas y electricidad : fonctionner au gaz et à l'électricité

Ser. *Bibi na struju i baterije* : être à électricité et à batterie

Être bique et bouc !

Chez eux... chez nous

CETTE FOIS, nous avons choisi de donner en premier les traductions littérales d'expressions venues d'ailleurs. Elles nous renvoient à nos propres us et usages, mais suffiront-elles à vous faire retrouver l'expression correspondante en français ? À vous de voir, mais nous l'espérons en tout cas.

Elles se présentent dans un ordre tout à fait aléatoire pour le sens, et selon un principe d'alternance entre plusieurs langues, mais c'est pour donner plus de piment à l'exercice.

Serez-vous comme la chatte proverbiale qui n'y retrouverait pas ses petits, comme une poule qui a trouvé un couteau, ou comme Marcel retrouvant le temps perdu ?

À vous de jouer – *your turn* (ang.), *ihr seid dran* (all.), *a ti te toca* (esp.), etc.

1. Jeder Topf findet seinen Deckel (all.) : chaque casserole trouve son couvercle

2. Cine s-a fript cu ciorbă, suflă și-n iaurt (rou.) : tel qui s'est brûlé avec de la soupe, souffle même dans le yaourt

3. A nigger in the wood pile (ang.) : un nègre dans le tas de bois

4. Perder los estribos (esp.) : perdre les étriers

5. Vendere sotto banco (ita.) : vendre sous le comptoir

6. Echar leña al fuego (esp.) : jeter du bois dans le feu

7. Den Beruf an den Nagel hängen (all.) : accrocher son métier à un crochet

8. In zijn vuistje lachen (née.) : rire dans son petit poing

9. To have a bee in one's bonnet (ang.) : avoir une abeille dans son bonnet

10. Sijn biezen pakken (née.) : ramasser ses joncs

11. To let sleeping dogs lie (ang.) : laisser tranquilles les chiens qui dorment

12. Es ist alles in Butter (all.) : tout est dans le beurre

13. Yi feng chui (chi.) : souffler une bourrasque de vent

14. Îmi dau cu pumnii în cap ! (rou.) : je me donne des coups de poing à la tête !

   Mă zgârii pe ochi ! (rou.) : je m'égratigne les yeux

15. Non c'è un cane (ita.) : il n'y a pas un chien

16. To start shouting blue murder (ang.) : commencer à crier au meurtre bleu (expression dérivée du français *mort Dieu*, devenu *morbleu* !, par euphémisme)

17. Onder iemands duiven schieten (née.) : tirer sur les pigeons de quelqu'un

18. Ta matia sas dekatessera (gre.) : vos yeux quatorze

19. Nu mai tăia frunză la câini (rou.) : arrête de couper des feuilles pour les chiens

20. To pull your sock up (ang.) : remonter sa chaussette

21. Bailar en la cuerda floja (esp.) : danser sur la corde lâche

22. Ta phortose ston koraka (gre.): il s'en est déchargé sur le coq

23. Seinen Senf dazu geben (all.) : ajouter sa moutarde

245. Mettersi le gambe in spalla (ita.) : se mettre les jambes aux épaules

25. Arrivare come i cavoli a merenda (ita.) : arriver comme des choux (légumes) au goûter

26. Uit het vuistje eten (née.) : manger dans le petit poing

27. Cross my heart and hope to die (ang.) : je fais le signe de croix sur mon cœur et j'espère mourir

28. Im Geld schwimmen (all.) : nager dans l'argent

29. E cu ochi şi cu sprâncene ! (rou.) : ça a des yeux et des sourcils !

30. Oude schoenen weggooien voor je nieuwe hebt (née.) : jeter les vieilles chaussures avant d'avoir les neuves

31. To bring the bacon home (ang.) : rapporter le jambon à la maison

32. Togliere a qualcuno una spina dal cuore (ita.) : enlever à quelqu'un une épine du cœur

33. To have a finger in every pie (ang.) : avoir un doigt dans chaque tarte

34. Subirse a la parra (ita.) : monter à la treille

35. To have ants in the pants (ang.) : avoir des fourmis dans le pantalon

36. Sich nicht auf der Nase herumtanzen lassen (all.) : ne pas se laisser danser sur le nez

37. Mettere troppa carne al fuoco (ita.) : mettre trop de viande au feu

38. Blech reden (all.) : raconter de la tôle

39. Darsi la zappa sui piedi (ita.) : se donner un coup de pioche sur les pieds

40. Like a bull in a china shop (ang) : (arriver) comme un taureau dans un magasin de porcelaine

41. Arrimar el ascua a su sardina (esp.) : approcher la braise de sa sardine

42. To get up with the lark (ang.) : se lever avec l'alouette

43. Ponerse las botas (esp.) : enfiler les bottes

44. Nicht alle Tassen im Schrank haben (all.) : ne pas avoir toutes les tasses dans le placard

45. Mandare giù un rospo (ita.) : avaler un crapaud

46. Das Herz fällt jemandem in die Hose (all.) : il a le cœur qui tombe dans la culotte

47. Pagar el pato (esp.) : payer le canard

48. To throw money down the drain (ang.) : jeter l'argent dans l'égoût

49. Ta ebapse maura (gre.) : il l'a peint en noir

50. Largar a otro el mochuelo (esp.) : passer le hibou à un autre

51. To go bananas (ang.) : devenir banane

52. Das ist ein dicker Hund (all.) : c'est un gros chien

53. Attaccare un bottone a qualcuno (ita.) : coudre un bouton à quelqu'un

54. Echar lánza en el mar (esp.) : jeter des lances dans la mer

55. Qu guang shangdian (chi.) : tourner en rond dans les magasins

56. There's a snake in the grass (ang.) : il y a un serpent dans l'herbe

57. Aburrirse como una ostra (esp.) : s'ennuyer comme une huître

58. Jemanden eine Extrawurst braten (all.) : faire griller une saucisse supplémentaire à quelqu'un

59. Avere grilli in testa (ita.) : avoir des grillons dans la tête

60. Nu mai întinde pelteaua ! (rou.) : n'allonge pas la gelée [de fruits] !

61. Eulen nach Athen tragen (all.) : porter des hiboux à Athènes

To carry coals to Newcastle (ang.) : porter du charbon à Newcastle (ville au cœur du bassin minier)

62. Let them cool their heels (ang.) : les laisser se rafraîchir les talons

Solutions :
les expressions françaises correspondantes

1- Chacun trouve chaussure à son pied
2- Chat échaudé craint l'eau froide
3- Un trouble-fête
4- Perdre les pédales
5- Vendre sous le manteau
6- Jeter de l'huile sur le feu
7- Rendre son tablier
8- Rire dans sa barbe
9- Avoir une idée fixe
10- Reprendre ses billes

11- Ne pas réveiller le chat qui dort

12- Ça baigne dans l'huile

13- Passer l'éponge

14- Je m'en mords les doigts

15- Il n'y a pas un chat

16- Crier comme un putois

17- Marcher sur les plates-bandes de quelqu'un

18- Ouvrez l'œil et le bon

19- Arrêter de se tourner les pouces

20- Retrousser ses manches

21- Danser sur la corde raide

22- Il a un poil dans la main

23- Mettre son grain de sel

24- Prendre ses jambes à son cou

25- Arriver comme un cheveu sur la soupe

26- Manger sur le pouce

27- Croix de bois, croix de fer, si je mens je vais en enfer

28- Rouler sur l'or

29- C'est gros comme une maison (C'est évident)

30- Lâcher la proie pour l'ombre (vendre la peau de l'ours avant de l'avoir tué)

31- Décrocher la timbale (le gros lot)

32- Enlever à quelqu'un une épine du pied

33- Mettre son nez partout

34- Monter sur ses grands chevaux

35- Être impatient
36- Ne pas se laisser marcher sur les pieds
37- Courir deux lièvres à la fois
38- Raconter des salades (des histoires)
39- Donner des verges pour se battre
40- Comme un éléphant dans un magasin de porcelaine
41- Tirer la couverture à soi
42- Se lever avec les poules (aux aurores)
43- Faire son beurre
44- Avoir une case en moins
45- Avaler des couleuvres
46- Avoir le cœur qui flanche, se dégonfler
47- Porter le chapeau
48- Jeter l'argent par les fenêtres
49- Il déprime
50- Refiler l'affaire à quelqu'un
51- Devenir dingue
52- C'est une histoire incroyable
53- Tenir la jambe à quelqu'un
54- Donner des coups d'épée dans l'eau
55- Faire du lèche-vitrines
56- Mettre la puce à l'oreille
57- S'ennuyer comme un rat mort
58- Faire une fleur à quelqu'un
59- Avoir des lubies

60- Sois bref !
61- Porter de l'eau à la rivière
62- Les laisser poireauter, faire le pied de grue

* * *

Saurez-vous, pour finir, rendre à César ce qui lui revient et retrouver l'équivalent français de ces quatre proverbes arabes ?

1) Le chat mordu par un serpent craint même une corde
2) Allonge tes pieds en proportion de ton tapis
3) Roule-lui du couscous, il reviendra à ses origines
4) La langue n'a pas d'os

A. Ne va pas « péter » plus haut que ton « cul »
B. Chat échaudé craint l'eau froide
C. Tourne sept fois la langue dans ta bouche
D. Chassez le naturel, il revient au galop

(Réponses : 1/B ; 2/A ; 3/D ; 4/C)

Conclusion

Ang. This is the end, my Friend (c'est la fin, mon ami)
All. Scheiden tut weh (se séparer est douloureux)
Esp. La ultima palabra ! (le mot de la fin !)
Et pour une fois une citation en français :
« La bêtise consiste à vouloir conclure. » (Flaubert)

« C'est déjà la fin des figues », dirait-on dans le sud de la France. Mettre le point final à un travail est toujours mission impossible. Mais on se consolera en songeant que ce n'est pas « la fin des haricots » (*essere alla frutta* en italien : en être [réduit] aux fruits), encore moins la fin du monde…

Une chose est sûre : au moment de conclure, nous ne filerons pas à l'anglaise… D'autant moins que les Anglais nous rendraient la monnaie de notre pièce (voir plus haut) : ils ne nous ratent pas, en effet, chaque fois que quelqu'un s'avise de *take a French leave* (saluer à la française, c'est-à-dire, grossièrement, sans prendre congé), ou chaque fois que quelqu'un de mal embouché laisse échapper un juron : en guise d'excuse, ce dernier lâche alors un *forgive my French* (pardonnez mon français) qui retentit encore à nos oreilles ! *No comment…*

Plus reconnaissants, les Allemands saluent la France, quand, pour évoquer le sommet du bonheur, ils disent être heureux… *wie Gott in Frankreich* (comme Dieu en France) ! Comme un coq en pâte – diraient les français !

On le voit, c'est à leur façon, mi-figue, mi-raisin, que les expressions idiomatiques œuvrent à l'amitié entre les peuples.

Bibliographie

- Jean-Pierre Ancèle, *L'Anglais en un clin d'œil*, Ellipses, 2003.
- Mahtab Ashraf et Denis Miannay, *Dictionnaire des expressions idiomatiques françaises*, Livre de Poche, 1999.
- Sylvie Baussier et Rémi Courgeon, *De la tête aux pieds*, Mango jeunesse, coll. Le Théâtre des mots, 2007.
- Jean-Luc Bordron, *Best of idioms*, Ellipses, 2008.
- Georges Brillouet et Anna Kokkinidou, *7000 expressions, locutions, proverbes du grec moderne*, Rue d'Ulm, 2004.
- Fernand Carton, *Expressions et dictons du Nord-Pas-de-Calais*, Éd. C. Bonneton, 2007.
- Jean-Loup Chiflet, *Dictionnaire français-anglais des expressions courantes*, Mots et Cie, 2000.
- Bettina Coulon-Mrosowski, *Allemand, 3500 locutions idiomatiques*, Nathan, 1992.
- Colette Guillemaud, *Secrets des expressions françaises*, Bartillat, 2007.
- Claude Hagège, *Halte à la mort des langues*, Éd. Odile Jacob, 2002.
  Dictionnaire amoureux des langues, Plon, 2009.
- René Jakobson, *Essais de linguistique générale*, Minuit, 1963.
- Bruno Lafleur, *Dictionnaire des locutions idiomatiques françaises*, Éditions du renouveau pédagogique, Montréal, 1979.
- Jean-Marcel Léard, *Les Gallicismes, étude syntaxique et sémantique*, Duculot, 1992.

- *Les Idiomatics, français-néerlandais*, Seuil, coll. Point virgule, 1991.

français-espagnol	1989.
français-italien	1990.
français-allemand	1989.
français-anglais	1989.

- Alain Le Saux, *Maman m'a dit que son amie Yvette était vraiment chouette*, Payot, 1984.
- Serge Meleuc et Alain Baraton, *T'as la pêche, le petit livre des expressions fruitées*, Archipel, 2009.
- Jean-Bernard Piat, *It's raining cats and dogs et autres expressions idiomatiques*, Librio, 2008.
- Elisabeth Pradez, *Dictionnaire des gallicismes les plus usités*, Payot, 1951.
- Maurice Rat, *Dictionnaire des expresions et locutions traditionnelles*, Larousse, 2008.
- Guy Suire, *Les mots d'ici, le bordeluche*, Mollat, 1993.
- Henriette Walter, *Le Français dans tous les sens*, Laffont, 1990.
- Marina Yaguello, *Catalogue des idées reçues sur la langue*, Seuil, coll. Points, 1988.
  Alice au pays du langage, Seuil, 1981.

Rendez-vous également sur le site Augustonemetum (augustonemetum.ifrance.com) pour y retrouver maximes et sentences latines.

Index

Dans la collection **Le petit livre de**
vous trouverez également **les thématiques**
suivantes :

Le petit livre de Cuisine ● ● ● ● ●

Le petit livre de Culture générale ● ● ● ● ● ●

Le petit livre de Insolites ● ● ● ● ●

Le petit livre de Tourisme ● ● ● ● ●

Le petit livre de Langues ● ● ● ● ●

Le petit livre de Humour ● ● ● ● ● ●

Pour consulter notre catalogue et
découvrir les dernières nouveautés,
rendez-vous sur **www.editionsfirst.fr** !